A introdução definitiva à PNL

RICHARD BANDLER
COCRIADOR DA PNL
Alessio Roberti & Owen Fitzpatrick

A introdução definitiva à PNL

[PROGRAMAÇÃO NEUROLINGUÍSTICA]

—

Como construir uma vida de sucesso

ALTA LIFE
EDITORA
Rio de Janeiro, 2019

A Introdução Definitiva à PNL - Como construir uma vida de sucesso
Copyright © 2019 da Starlin Alta Editora e Consultoria Eireli. ISBN: 978-85-508-1084-3

Translated from original The Ultimate Introduction to NLP. Copyright © 2013 by Richard Bandler, Alessio Roberti, Owen Fitzpatrick. ISBN 978-0-00-749741-6. This translation is published and sold by permission of HarperCollinsPublishers, an imprint of Clays Ltd, the owner of all rights to publish and sell the same. PORTUGUESE language edition published by Starlin Alta Editora e Consultoria Eireli, Copyright © 2019 by Starlin Alta Editora e Consultoria Eireli.

Impresso no Brasil — 1ª Edição, 2019 — Edição revisada conforme o Acordo Ortográfico da Língua Portuguesa de 2009.

Publique seu livro com a Alta Books. Para mais informações envie um e-mail para autoria@altabooks.com.br

Obra disponível para venda corporativa e/ou personalizada. Para mais informações, fale com projetos@altabooks.com.br

Produção Editorial
Editora Alta Books

Gerência Editorial
Anderson Vieira

Produtor Editorial
Juliana de Oliveira
Thiê Alves

Assistente Editorial
Ian Verçosa

Marketing Editorial
marketing@altabooks.com.br

Editor de Aquisição
José Rugeri
j.rugeri@altabooks.com.br

Vendas Atacado e Varejo
Daniele Fonseca
Viviane Paiva
comercial@altabooks.com.br

Ouvidoria
ouvidoria@altabooks.com.br

Equipe Editorial
Adriano Barros
Bianca Teodoro
Illysabelle Trajano
Kelry Oliveira
Keyciane Botelho
Larissa Lima
Leandro Lacerda
Maria de Lourdes Borges
Paulo Gomes
Thales Silva
Thauan Gomes

Tradução
Luciana Ferraz

Copidesque
Alessandro Thomé

Revisão Gramatical
Hellen Suzuki
Thamiris Leiroza

Revisão Técnica
Alberto Gassul Streicher
Pós-graduado em Neurociências e Educação pela USP

Diagramação
Joyce Matos

Capa
Bianca Teodoro

Dados Internacionais de Catalogação na Publicação (CIP) de acordo com ISBD

B214i Bandler, Richard

A Introdução Definitiva à PNL: como construir uma vida de sucesso / Richard Bandler, Alessio Roberti, Owen Fitzpatrick ; traduzido por Luciana Ferraz. - Rio de Janeiro : Alta Books, 2019.
160 p. ; 17cm x 24cm.

Tradução de: The Ultimate Introduction to NLP
ISBN: 978-85-508-1084-3

1. Neurolinguística. 2. Programação Neurolinguística. 3. PNL. I. Roberti, Alessio. II. Fitzpatrick, Owen. III. Ferraz, Luciana. IV. Título.

2019-927 CDD 616.89
CDU 615.851

Elaborado por Vagner Rodolfo da Silva - CRB-8/9410

Rua Viúva Cláudio, 291 — Bairro Industrial do Jacaré
CEP: 20.970-031 — Rio de Janeiro (RJ)
Tels.: (21) 3278-8069 / 3278-8419
www.altabooks.com.br — altabooks@altabooks.com.br
www.facebook.com/altabooks — www.instagram.com/altabooks

SUMÁRIO

SOBRE OS AUTORES

Dr. Richard Bandler

O Dr. Richard Bandler é cofundador da Programação Neurolinguística e criador da Design Human Engineering® e da Neuro Hypnotic Repatterning®.

Durante os últimos 40 anos, o Dr. Bandler tem sido um dos colaboradores mais importantes no campo da mudança pessoal. Matemático, filósofo, professor, artista e compositor, ele criou um legado de livros, vídeos e áudios que mudaram para sempre a terapia e a educação.

Centenas de milhares de pessoas, muitas das quais terapeutas, estudaram o trabalho da vida do Dr. Bandler em mais de 600 institutos ao redor do mundo.

Palestrante e apresentador de workshops altamente reconhecido, ele é o autor de mais de uma dúzia de livros, incluindo *Tenha Agora a Vida que Quer, Make Your Life Great* e *Usando Sua Mente;* e coautor de *Engenharia da Persuasão®*, *Choose Freedom, The Secrets to Being Happy* e *Conversations with Richard Bandler.*

Para saber mais sobre os workshops e seminários de Richard Bandler, visite www.richardbandler.com.

Alessio Roberti

Alessio Roberti é diretor internacional de coaching empresarial na Society of NLP, a maior organização de PNL do mundo. Ele estuda o trabalho do Dr. Richard Bandler há mais de 20 anos e também frequentou a Harvard Business School e a Oxford Business School.

Alessio é um *master trainer* de PNL licenciado e treinou mais de 60 mil participantes até agora, incluindo CEOs, altos executivos e proprietários de algumas das empresas mais importantes do mundo em diversos setores.

É coautor, com o Dr. Bandler e Owen Fitzpatrick, do livro *Choose Freedom: Why Some People Live Happily and Others Don't*, que já foi traduzido para sete idiomas. Você encontra Alessio em www.coach.tv.

Owen Fitzpatrick

Owen Fitzpatrick é palestrante internacional e psicólogo. Ele é coautor de *Conversations with Richard Bandler* e *Choose Freedom* e autor de *Not Enough Hours: The Secret to Making Every Second Count.*

Owen trabalha também com bilionários e atletas olímpicos, ajudando-os a obter seu melhor desempenho. Ele é autoridade nas áreas de carisma e motivação e costuma sempre dar palestras importantes e treinamentos corporativos sobre esses tópicos.

Além de ter mestrado em psicologia aplicada, Owen estudou negociação estratégica na Harvard Business School e é um psicoterapeuta e hipnoterapeuta qualificado. Ele é cofundador do Irish Institute of NLP. Owen também conquistou a honra de se tornar a pessoa mais jovem no mundo a ser habilitada como master trainer de PNL, com apenas 23 anos.

Owen viajou da Colômbia ao Japão e da Itália à Tailândia e treinou pessoas em mais de 20 países ao redor do mundo em como melhorar a vida e aprimorar seus negócios.

Você pode saber mais sobre Owen em www.owen-fitzpatrick.com ou www.nlp.ie.

Nota da editora: A Alta Books não se responsabiliza pelo conteúdo que os autores disponibilizaram nesta abertura. Os sites e links indicados pelos autores estão todos em inglês.

AGRADECIMENTOS

Este livro jamais teria visto a luz do dia se não fosse a incrível ajuda das pessoas a seguir. Agradecemos muito a todas elas por seu apoio, sugestões e dedicação para torná-lo possível.

Primeiro, ao nosso agente, Robert Kirby, por seu apoio fenomenal, sua dedicação e por acreditar neste livro. Robert é um verdadeiro profissional, e sua paciência, seus insights e conselhos foram muito valiosos.

Obrigado à equipe maravilhosa da HarperCollins, especialmente a Carole Tonkinson e Victoria McGeown, que foram magníficas em seu apoio e fé neste livro.

E por último, mas não menos importante, agradecemos a todos os nossos colegas, participantes dos seminários, equipe de apoio e treinadores da Society of NLP ao redor do mundo. Sem vocês não haveria nenhum seminário transformador de vidas.

De Richard

Gostaria de agradecer à minha esposa, Glenda, por sua ajuda, seu apoio e seu sorriso mágico.

Meu agradecimento vai também aos clientes que, nesses 40 anos, passaram pelo pior e me ensinaram tanto.

Obrigado também a John e Kathleen La Valle por sua amizade e seu incentivo contínuos.

De Alessio

Gostaria de agradecer ao Dr. Richard Bandler, cuja criatividade e generosidade em dividir suas descobertas fabulosas contribuíram muito com minha vida e com todo o campo de transformação pessoal.

Tenho uma enorme dívida de gratidão com John e Kathleen La Valle, que apoiaram, incentivaram e defenderam meu trabalho até aqui. Seu feedback contínuo me ajudou a desenvolver minhas habilidades em PNL e coaching.

Obrigado à codiretora da NLP Italy Coaching School, Antonella Rizzuto, cuja dedicação ajuda mais de dez mil pessoas por ano a descobrirem seu potencial.

E obrigado a Mattia Bernardini e Alice Rifelli, cujo trabalho profissional e diligente torna a transformação pessoal possível.

Finalmente, gostaria de agradecer às duas pessoas mais extraordinárias da minha vida, Cinzia e Damiamo, meu mundo de amor.

De Owen

Gostaria de agradecer a meus pais, Marjorie e Brian Fitzpatrick — simplesmente os melhores pais que alguém poderia desejar e as pessoas que mais admiro na vida.

Obrigado às minhas lindas afilhadas, Lucy e Aoife, cuja beleza me faz sorrir todos os dias.

E aos meus incríveis amigos Brian, Theresa, Cristina, Sandra, Gillian, Elena, Kate e Rob, por seus conselhos e apoio com o livro.

Meu agradecimento vai também para meus treinadores e mentores ao longo dos anos, especialmente John e Kathleen La Valle, por seus conselhos inestimáveis. Eles simplesmente mudaram a minha vida.

Finalmente, obrigado ao Dr. Richard Bandler. Conheci Richard na adolescência, e sua genialidade, seus conselhos e sua fé em mim transformaram minha vida. Sou abençoado por tê-lo como professor, mentor e amigo.

INTRODUÇÃO

Um workshop entre duas capas, este é o livro mais acessível de Richard Bandler até hoje. É a história de um homem chamado Joe que participa de um curso de um dia de introdução à PNL com o Dr. Richard Bandler, ouve o que Richard ensina, pratica as técnicas, conhece outros participantes e aprende conforme todos dividem suas ideias e visões sobre como aplicar o conteúdo do curso em diferentes áreas da vida pessoal e profissional.

Ao ler este livro, você também pode se tornar um dos participantes do curso, ouvindo o que eles ouvem, vendo o que eles veem, experimentando o que eles experimentam e aprendendo o que eles aprendem!

Decidimos escrever uma história em que os participantes de um curso fossem os protagonistas, pois os participantes são o centro de nosso treinamento, cada um com suas necessidades, suas ambições, seus problemas e seus desejos, e cada um buscando novas ideias, ferramentas e soluções.

Por muitos anos, fomos participantes dos cursos de Richard. Então, nós dois nos tornamos treinadores, trabalhando como assistentes nos cursos internacionais de Richard por mais de uma década. Hoje temos a sorte de nos termos tornado treinadores internacionais, dividindo com pessoas do mundo todo o que aprendemos com Richard. Então, para nós, são grandes o prazer e a honra em sermos coautores deste livro e dividirmos o que aprendemos com ele e nossos alunos até agora.

Escrevemos este livro pois acreditamos que existe uma grande necessidade de a mensagem central destas páginas ser compartilhada mundialmente. O mundo está mudando rapidamente, e isso vem trazendo a percepção paradoxal de que, mais do que nunca, temos cada vez mais recursos e a tecnologia moderna nos permite fazer coisas incríveis e maravilhosas. Mas, ainda assim, a depressão, a ansiedade, o medo, o pânico e o estresse continuam em ascensão.

A mensagem central deste livro é a de que existem ferramentas precisas que podem ajudá-lo a assumir o controle de sua vida. Nele, Richard ensinará como você pode mudar seu pensamento e sua vida — e como você pode ajudar outras pessoas a fazer o mesmo.

Começamos a escrever este livro em Roma, continuamos em Dublin, trabalhamos nele em Londres e Nova York e recebemos feedback de pessoas em Los Angeles, Tóquio e até mesmo na Austrália. Ele é o resultado de 20 anos de entrevistas com milhares de pessoas que participaram dos workshops de PNL, o produto de participantes que compartilharam suas próprias experiências conosco. É um projeto internacional focado não somente na PNL, mas em como as pessoas podem aprender a usá-la para transformar a vida.

Existe uma necessidade enorme de mudança de mentalidade no mundo de hoje. Existe uma necessidade enorme de injetar esperança por um mundo melhor. Estamos em um impasse entre nos deixarmos ser levados por um ritmo acelerado de circunstâncias desafiadoras ou decidir guiar nós mesmos na direção que queremos ir. Precisamos de uma mudança de direção. Precisamos de uma mudança de consciência. Precisamos saber que temos voz ativa no destino do mundo.

A PNL é um movimento. Você pode fazer parte dele. Comece agora — é a sua hora!

Alessio e Owen

Capítulo 1

UM WORKSHOP COM O COCRIADOR DA PNL

Joe colocou o telefone no bolso, respirou fundo e se recompôs. Ele havia acabado de discutir com sua namorada, então certamente não estava com o melhor dos humores. Dito isso, ele sabia que era muito importante aproveitar o dia ao máximo. Entrou no lobby do hotel, onde notou imediatamente um rosto familiar entre os assistentes que cuidavam das inscrições.

Joe sorriu. Ver Alan o animou um pouco.

"Joe!", chamou Alan. "Que maravilha ver você de novo!"

"Igualmente", respondeu Joe. "Cara, eu estava muito ansioso por hoje. Finalmente decidi saber mais sobre esse negócio de PNL."

PNL significa "programação neurolinguística". Tendo visto muitos livros sobre o assunto, Joe teve uma noção do quão popular isso era. Ele entendeu que se tratava de uma postura e metodologia que permitia que as pessoas pensassem e se comunicassem com mais eficiência, e ele precisava disso. Até um ano antes, estava conformado com a ideia de que ele era o que era, e sua vida era do jeito que tinha que ser, e não havia nada que ele pudesse fazer a respeito. Mas então percebeu que as coisas poderiam mudar, e agora ele queria muito trabalhar a si mesmo e fazer algumas melhoras.

"Só para dar-lhe uma prévia do que o espera", começou Alan, "você já viu Richard em ação. Hoje você aprenderá sobre o próprio campo da PNL".

Alan se referia ao Dr. Richard Bandler, cofundador da PNL. Joe tinha conhecido Richard em um curso que fizera um ano antes. Naquela época ele estava solitário e deprimido. Para tentar ajudá-lo, sua irmã, Maria, deu-lhe um folheto de um curso de três dias chamado "Escolha a Liberdade", que incluía um workshop com o Dr. Bandler. Foi lá que Joe conheceu Alan, um dos assistentes do curso.

Agora Alan estava dizendo: "E, como sempre, eu estarei por perto para ajudar como puder."

"Ótimo", respondeu Joe. "Agradeço muito."

Ao longo dos três dias do curso anterior, Joe foi percebendo aos poucos que era possível mudar as coisas mesmo quando os desafios parecessem insuperáveis. Agora ele estava interessado em aprender mais.

"Então, quais são os destaques de hoje?"

"Bem, você aprenderá algumas estratégias extraordinárias para atingir estados emocionais poderosos, melhorar sua comunicação com os outros e avançar em diferentes áreas de sua vida. Talvez o melhor jeito de explicar essas coisas seja dizendo que é a diferença que faz a diferença. É como construir uma vida de sucesso."

Joe precisava muito ser bem-sucedido naquele momento. Ele estava enfrentando duas questões importantes. Veja bem, após seu primeiro curso, as coisas mudaram muito para ele. Agora ele tinha um bom emprego e um bom relacionamento com uma garota por quem ele é louco. Tinha tudo o que podia desejar. Mas aquilo significava que ele tinha muito a perder. Na verdade, ele se sentia mais tenso agora do que 12 meses antes, quando não tinha bem uma vida e não se importava muito com o que acontecesse ou o que fizesse. Mas agora ele sabia que precisava fazer algo e logo, se quisesse manter as coisas que importavam.

Alan levou-o para um canto. "Então, como vão as coisas? Como vai aquela sua namorada linda?"

"Ela está bem. Tipo, estávamos nos dando muito bem... mas nada é perfeito, eu acho. Só que agora — bem, estamos pensando em morar juntos."

"Morar juntos? Uau! Que notícia incrível, Joe! Espero um convite para o grande dia."

"Calma aí, Alan. Casamento é outra história! Mas está ótimo."

Joe parou. Ele sabia que não estava sendo convincente.

"É claro, estamos nos conhecendo melhor agora... e temos nossas diferenças. Então estamos nos acostumando."

Joe baixou os olhos, pensando na discussão que acabara de ter com sua namorada.

"Joe", disse Alan seriamente, "se você sente que ela é a mulher certa, precisa mantê-la. Você se arrependerá pelo resto da vida se não fizer isso".

Quando Joe levantou os olhos, percebeu uma intensidade nos olhos de Alan. O que significava aquilo? Ele sabia que Alan estava certo, mas só falar sobre seu relacionamento já o fazia se sentir pior, então decidiu mudar de assunto.

"O trabalho está muito melhor", disse ele com confiança. "Fui promovido, então estou obviamente feliz com isso. Apesar de que", continuou ele mais devagar, "às vezes tenho dificuldade com meu novo cargo. Eu interajo muito mais com os clientes agora, e... não acho que eu seja muito sociável".

E, ao perceber que Alan o estava estudando, Joe se sentiu envergonhado.

"De qualquer forma, quando falo, parece muito pior do que realmente é. Só acho que tem algumas coisas com as quais a PNL pode me ajudar. Você perguntou!"

E Joe sorriu encabulado.

"Apenas se lembre", disse Alan, sorrindo de volta, "de que não existe isso de *pessoa sociável*. O que pode ajudar é aprender a se sentir confortável no meio dos outros e melhorar sua comunicação com eles".

Joe concordou.

"O seminário deve ajudar", disse Alan em tom animador. "É isso, você está inscrito agora, Joe. Boa sorte!"

"Obrigado!"

Assim que se virou e começou a andar em direção à sala do seminário, Joe viu outro rosto familiar.

Teresa, uma médica irlandesa que ele havia conhecido em seu primeiro seminário com Richard Bandler, envolveu-o em um abraço.

"Joe, que ótima surpresa! Permita-me apresentá-lo à minha linda filha, Emily."

Emily parecia estar no fim da adolescência. Tinha longos cabelos ruivos e usava calças jeans e uma camiseta da Minnie Mouse. Ela sorriu educadamente enquanto cumprimentava Joe com um aperto de mão.

"Então", disse Joe, para tentar quebrar o gelo, "você também é nova nisso tudo, ou sou só eu?".

"É minha primeira vez", respondeu Emily. "Acabei de ler alguns livros que temos em casa, só isso. *Ela* é a especialista em PNL da família." Apontando para sua mãe com o polegar. "Sabe como é: panela velha é que faz comida boa."

"Muito engraçado, mocinha. Mas a única panela velha que conheço está na cozinha", disse Teresa em tom carinhoso e maternal. "É claro que tenho estudado PNL há alguns anos e a aplico em meu dia a dia profissional e pessoal, mas não sou uma especialista. Na verdade, a melhor lição que aprendi com a PNL foi que 'você nunca para de aprender', como eles dizem. Então, se você pensa que já sabe tudo o que existe a ser ensinado, certamente está deixando algo passar despercebido! E a pior coisa é que você fica tão cego pela sua própria certeza que nem percebe que está deixando de ver algo."

"Uau!", disse Joe a Emily, com um belo sorriso. "Sua mãe é legal!"

"A melhor", confirmou Emily. "Às vezes me pergunto se ela é real!"

"Ah, parem você dois!"

E Teresa deu um tapinha brincalhão no ombro de Joe.

Conforme os três se dirigiam à sala do seminário, Joe e Teresa começaram a colocar o papo em dia e contar um ao outro sobre tudo o que acontecera desde seu último encontro. Em dado momento, pararam de falar por um instante quando notaram uma moça vasculhando sua bolsa. Ela estava com o rosto vermelho e parecia extremamente preocupada. Então, bem na hora em que Joe e Teresa iam perguntar se ela estava bem, ela deu um suspiro de alívio enquanto tirava da bolsa um espelho de mão. Joe e Teresa se olharam, e ele abanou a cabeça. *Todo esse estresse por causa de um espelho de maquiagem,* pensou ele. *Se este seminário tiver algo a ver com o último, ela certamente vai se beneficiar.*

Joe, Teresa e Emily entraram na sala do seminário e encontraram três assentos juntos no meio do corredor central. Joe se sentou entre Teresa e um homem na casa dos 50 anos vestindo um terno impecável e óculos vermelhos de grife.

"Olá, meu nome é Joe."

"Edgar Martin é meu nome, mudar vidas é o que me move", disse o homem com uma risada. "Prazer em conhecê-lo, Joe. O que o traz aqui hoje?"

Joe sorriu.

"Quer um resumo? Um ano atrás eu estava em um momento péssimo na minha vida e lutando com tudo. Minha irmã me convenceu a ir a um seminário e, bem, isso revolucionou algumas coisas em mim. Eu sei que há algo de PNL envolvido, então, aqui estou eu para aprender a respeito. E você?"

"Que caminho interessante o seu, Joe", disse Edgar. "Pode-se dizer que estou aqui para incluir algumas ferramentas na minha maleta. Só que eu não sou mecânico. Bem, talvez um mecânico de mentes!" Mais uma vez ele riu da própria piada. "Sou psiquiatra e psicoterapeuta."

Joe sorriu educadamente.

"Legal", disse ele enquanto pegava seu diário.

"Que belo diário, Joe!", comentou Edgar. "Você o leva a todos os lugares a que vai?"

Joe concordou com um gesto.

"Bem, não a *todo lugar*", e ele piscou tentando provocar o senso de humor de Edgar, mas tudo o que conseguiu foi ser encarado com indiferença. Um pouco envergonhado, ele continuou: "Sei pela minha experiência anterior que Richard Bandler ensina através de histórias, então absorvemos muitas ideias inconscientemente. Ainda assim, quero capturar conscientemente alguns de seus insights e observações mais memoráveis ao longo do workshop. Acho que as anotações são um ótimo jeito de revisar os conceitos e técnicas-chave."

Edgar pareceu impressionado.

"Eu nem pensei em trazer um diário, mas vou procurar um no primeiro intervalo. Apesar de que eu deveria mesmo era ter trazido meu iPad, então eu poderia sincronizar minha base de dados aqui com minha memória externa!" Apontando para sua cabeça, Edgar riu novamente, enquanto Joe acenava com a cabeça, dessa vez se esquecendo de sorrir.

"Esta é minha primeira vez aprendendo com Richard", continuou Edgar. "É que... aprendi tanto com Alan, meu primeiro treinador de PNL, que decidi que era hora de aprender com seu mentor. Aliás, Alan também está aqui hoje, como assistente."

"Ah, sim! Eu conheço o Alan", respondeu Joe, subitamente intrigado. "Como ele é no papel de treinador?"

Mas antes que Edgar pudesse responder, começou uma música, e Richard Bandler apareceu nos fundos da sala. Com um olhar e um aceno de cabeça, Edgar e Joe silenciosamente concordaram em adiar sua conversa. O seminário estava prestes a começar.

Capítulo 2

UMA BREVE HISTÓRIA DA PNL

Conforme Richard Bandler se dirigia ao palco, Joe o encarava com curiosidade. Ele tinha ouvido falar que grandes executivos, atletas olímpicos e até mesmo presidentes de países haviam se beneficiado da PNL, mas ele ainda não tinha certeza de que se tratava. Queria muito entender direito aquilo e, como Richard Bandler havia sido um dos cocriadores do campo em meados dos anos de 1970, aquele seminário parecia o lugar perfeito para começar. Joe abriu seu diário quando Richard começou a falar:

> Deixem-me começar dando a vocês um histórico disso tudo. Quando comecei – bem, na verdade foi um acaso. Minha formação era principalmente em matemática, lógica e ciência, e quando estava na faculdade me mudei para a casa de um psiquiatra, que era repleta de livros. Sendo um leitor ávido, comecei a ler todos, esperando chegar ao ponto em que diriam o que poderia ser feito para ajudar um paciente.

Infelizmente, o único livro que encontrei que informava como fazer algo era um sobre a prescrição de remédios. Se as pessoas estivessem deprimidas, você poderia prescrever um antidepressivo. A pior parte foi que muitas das pessoas que tomam antidepressivos continuam deprimidas. Não é benéfico tomar o remédio e continuar a pensar "Minha vida ainda está uma droga".

Sendo alguém prático como sou, não pude crer naquilo, então comecei a investigar mais afundo.

Agora, se tem uma coisa que me manteve na ativa ao longo dos anos foi a vontade de encontrar jeitos simples de fazer coisas difíceis. E essa busca me colocou em contato com algumas pessoas realmente incríveis. Hoje, vou contar a vocês um pouco sobre algumas delas e as coisas que tive a chance de aprender com cada uma.

No início, tudo o que fiz foi sair e explorar como as pessoas se comportavam: eu estava convencido de que devia haver um jeito melhor de organizar as informações sobre como os humanos fazem as coisas. Quando eu conhecia esquizofrênicos, pensava que eles tinham muito a ver com meus vizinhos – eu não enxergava muita diferença. Eles só tinham jeitos diferentes de ver o mundo. Seus modelos e mapas não se comparavam às experiências das outras pessoas.

Na verdade, uma das ideias que embasaram a programação neurolinguística é o conceito de que o mapa não é o território. Isto significa que sua compreensão do mundo se baseia em como você o representa – seu mapa –, e não no mundo em si.

Joe teve a impressão de que aquilo era importante, então prestou mais atenção enquanto Richard continuava.

A fim de entender o mundo, mapeamos nosso cérebro. Mas para fazer um mapa você passa por três processos básicos.

Primeiro, você exclui parte da informação. Em um mapa da cidade, você não desenha carros, não vê como são os telhados dos prédios e assim por diante. E esse processo é útil – até que você exclua algo importante como um quarteirão inteiro e então tente atravessá-lo dirigindo, pois o mapa diz que não há nada ali.

Quantos de vocês já passaram por isso? Você está andando em uma rua conhecida e de repente nota uma nova loja. Você entra, pergunta há quanto tempo estão abertos e descobre que ela já existe há cinco anos!

O público concordou. Joe se lembrou de fazer isso frequentemente.

Depois, ao fazer um mapa, você generaliza. Em um mapa, todas as rodovias estaduais são representadas da mesma forma, independente de como sejam na realidade, e, quando você vê uma forma azulada, espera que seja um lago ou o mar.

A generalização é parte do processo de aprendizado. Você brinca com fogo, queima-se e aprende a não tocar em coisas que estejam muito quentes. Isso é algo bom. No entanto, você tem um parceiro que o trai, e passa a achar que todos os homens são uns cachorros – isso pode ser uma supergeneralização. Não é o processo em si que é bom ou ruim, é quando e como você o aplica.

Por último, você distorce parte da informação. Um mapa urbano costuma ser menor que a própria cidade, certo? E é plano: é uma impressão em uma folha de papel. Na vida, você distorce as informações sempre que extrapola a proporção das coisas, seja para torná-las maiores ou menores do que realmente são.

Outro jeito, mais sutil, de distorcer as coisas é este: você atribui significado a algo que aconteceu ou a algo que alguém disse ou fez. Uma colega entra na sala e não o cumprimenta: você conclui que ela está brava, chateada ou ofendida.

Mais uma vez, não quero dizer que a distorção seja algo necessariamente ruim. Na verdade, pode levar a conclusões bastante precisas. É fundamental que você perceba que existe um processo acontecendo e que o modo como você vê as coisas e o modo como elas realmente são podem ser bem diferentes. E o mais importante de tudo: não importa o que você ache que está acontecendo, quero que se lembre de que é só um mapa. E ele não coincide necessariamente com o mapa das pessoas ao seu redor.

Pense nisso na próxima vez que acabar discutindo sobre quem está certo e quem está errado. Caso se atenha ao seu próprio mapa, provavelmente continuará convencido de que está certo, e a outra pessoa também continuará convencida de que ela está certa. Os problemas começam quando seu mapa e os mapas das pessoas ao seu redor não combinam.

Quando percebi isso, entendi que, a fim de ter melhores opções, melhores sentimentos, melhores interações com os outros, você precisa expandir seu mapa. Você precisa ser capaz de ver as mesmas coisas a partir de diferentes perspectivas. Quanto mais detalhado for seu mapa, maior serão sua liberdade e flexibilidade.

Joe anotou em seu diário o que ele estava absorvendo daquilo. Pensou sobre seu relacionamento com sua namorada, nos problemas e desentendimentos que estavam tendo recentemente e como eles o deixavam dolorosamente consciente do medo que ele tinha de perdê-la. Ele a amava, mas sempre ficava ofendido com o que ela falava e acreditava que ela não o entendia e que estava afastando-se dele. Agora, ele havia entendido que ela tinha o próprio mapa e o próprio jeito de pensar sobre o relacionamento deles, da mesma forma que ele tinha o dele.

Enquanto continuava ouvindo Richard, Joe decidiu que seria uma boa ideia conversar com sua namorada e saber mais sobre como ela pensava e se sentia a respeito das coisas, em vez de se concentrar apenas em suas próprias percepções e preocupações.

E Richard estava dando um direcionamento valioso.

Um bom conselho é: façam uma verificação da realidade de vez em quando. Certifiquem-se de que seu mapa esteja atualizado, pois, quando as pessoas param de ver a realidade e se baseiam apenas em seu velho mapa, elas têm dois jeitos de estragar tudo: imaginam limites e restrições em coisas nas quais eles não existem ou agem como se algo devesse funcionar e, quando não funciona, simplesmente fazem mais do mesmo.

Eu sei que muitos de vocês generalizam as experiências que tiveram até hoje e então as projetam para o seu futuro. Fato é que seu futuro ainda não foi escrito. A vida é cheia de oportunidades, e elas estão por vir. Não deixe ninguém, nem mesmo seu próprio mapa, convencê-los do contrário.

Por exemplo, só porque você teve experiências negativas com seus sócios, não significa que todas as pessoas vão esfaqueá-lo pelas costas por causa de dinheiro. Talvez signifique que você precisa aprender a defender seus interesses; talvez signifique que você deve mudar o modo como escolhe seus sócios.

Imagine como a vida seria se o futuro fosse apenas uma repetição daquilo que você já viveu no passado: que mundo triste seria esse. Sem contar o fato de que ainda viveríamos em cavernas, alimentando-nos de carne crua e raízes amargas.

Felizmente existe uma motivação evolutiva no Universo, uma força tão potente que desafia o caos e que anima os humanos.

Joe sentiu uma leveza ao chegar a uma conclusão. Em seu diário, escreveu: "Não tem a ver com quem está certo e quem está errado. Não tem a ver também com o que é 'verdade'. Um bom mapa é aquele que o faz enxergar as coisas a partir de diferentes perspectivas e que o ajuda a ser o mais adaptável possível acerca de sua situação."

Richard estava chegando ao que era mais importante.

Agora, a PNL não é algo que você possa aprender através de leitura ou conversando a respeito. Você aprende PNL através da prática! É por isso que o programa de hoje é rico em técnicas e exercícios.

Quero que saibam que, apesar de este ser um workshop curto, colocarei muitas coisas dentro da sua cabeça que aparecerão depois. Pode ser que você não entenda tudo agora, mas lembre-se: seu inconsciente também está ouvindo.

Tudo isto começou com uma ideia simples: eu saía e encontrava pessoas que tinham feito algo de sucesso e descobria o processo inconsciente que usaram.

Joe ouviu Emily sussurrando para Teresa: "O que ele quer dizer com 'processo inconsciente'?"

Teresa respondeu calmamente: "Processos inconscientes são as receitas que guiam a produção de pensamentos, sentimentos e comportamentos. Ao tomar consciência desses processos, você pode então, deliberadamente, melhorá-los ou mudá-los."

Emily acenou enquanto pensava a respeito.

Então, eu ensinava as pessoas a entrarem conscientemente nesses processos para que seus problemas se resolvessem ou então pudessem adquirir habilidades específicas.

O que as pessoas *dizem* que fazem ou *acreditam* que fazem – bem, isso costuma ser bem diferente do que elas *realmente* fazem.

O que, para mim, torna a PNL revolucionária é isto: é a primeira vez que somos capazes de deliberadamente reformar o interior de nossa mente. Temos as ferramentas para encontrar onde está a porcaria que não queremos e substituí-la pelas coisas que realmente queremos.

Joe não estava convencido. Apesar de sua vida ter mudado de forma radical desde sua primeira experiência em um seminário com Richard, a ideia de que se pode reformar o interior da mente lhe parecia um tanto exagerada.

Richard, no entanto, prosseguia.

Você não nasceu com maus hábitos, com suas habilidades, com suas crenças. A maior parte daquilo que faz, você aprendeu – assim como aprendeu a andar ou a apertar as mãos automaticamente.

Até os medos são aprendidos! Vocês sabiam que existem apenas dois medos naturais? O medo de barulhos altos e o medo de cair – só. Todos os outros são aprendidos. Porém, alguns deles são úteis, como ter medo de cobras, e alguns deles são menos úteis. Você não precisa se livrar de todos os medos ao mesmo tempo; só precisa aprender a ter medo das coisas certas no momento certo. Por exemplo, ter fobia de trair o parceiro! Esta vale a pena ter.

Quando comecei, as pessoas sempre me diziam coisas como "Você não entende, Richard. Mudar é lento e doloroso".

Mas não sou uma pessoa compreensiva – recuso-me a aceitar crenças limitantes só porque me disseram para acreditar nelas. Creio que as pessoas costumam mudar mais rapidamente sem nenhuma dessas bobagens. Quer dizer, todo tipo de coisa acontece. Você assiste a um filme ou lê um livro, conversa com um amigo ou até mesmo com um estranho no ônibus, e sua vida se transforma por causa daquilo instantaneamente. Não é necessário ler a mesma frase durante 13 anos – você lê apenas uma vez e diz: "Uau, isso faz muito sentido!"

Não se pode negar a lógica dele, pensou Joe, sozinho.

E aqui temos outra dessas coisas que as pessoas ainda me dizem. As pessoas chegam e falam: "Você tem que descobrir quem é de verdade e se aceitar." Bem, estou aqui pra dizer que não é preciso fazer isso. Você não tem que ser nada que não queira ser. O fato de ter sido uma pessoa tímida até hoje não significa que esteja fadado a ser tímido para o resto da vida. O fato de ter sido preguiçoso ou inconsequente não o *torna* isso – é um caminho comportamental, não quem você é. Você pode ser aquilo que escolher ser.

Mudanças acontecem o tempo todo – esta é a única constante da vida. O ponto é: você vai *escolher* a direção que sua vida vai tomar e o tipo de pessoa que vai se tornar ou vai só sentar e esperar a vida acontecer?

Com a PNL, você consegue mudar o modo de pensar, sentir e agir. Você é capaz de pegar aquilo que está fazendo – tanto dentro da sua cabeça quanto no mundo real – e reprogramar de modo a fazer mudanças poderosas em sua mente. Então, veja bem, aqui você tem a chance de assumir o controle de sua vida, mas isso só funciona se o *fizer* – se realmente se comprometer em fazer o que for preciso para mudar as coisas – for lá e fizer acontecer.

Quero compartilhar com vocês como podem não apenas se sentir tão bem quanto se sentiam no passado, mas ainda melhor. Tem a ver com ser capaz de turbinar seu cérebro!

Joe riu. Ele adorava a ideia de que é possível fazer mudanças na mente do mesmo jeito como aquele programa de TV faz com as carroças enferrujadas, transformando-as em lindos supercarros! Ele se lembrou de quão cético tinha se sentido quando sua irmã sugeriu que ele fosse ao primeiro seminário. Até aquele momento, ele se sentia estagnado, sem opções, e a ideia de que pudesse escolher quem gostaria de ser... bem, aquilo soara simplesmente como um desejo mágico. Agora ele se sentia diferente. E ouviu com atenção enquanto Richard continuava.

Um dia, o dono da casa em que eu morava me ligou e disse que Virginia Satir estaria por perto, então eu deveria ficar de olho nela e garantir que ela estivesse confortável. Bom, Virginia era a razão pela qual eu me afastei de matemática e ciência e acabei cocriando a PNL: ela era uma psicoterapeuta muito talentosa que gerava resultados muito consistentes.

A primeira vez que a vi, eu estava na garagem mexendo em meu carro, trocando o filtro de óleo, e subitamente essa mulher chegou pela calçada. Ela era um deslumbre: muito alta e usando um vestido verde da Day-Glo, saltos altos vermelhos e óculos grandes com armação de chifre. Ela me encarava com um enorme sorriso, então me levantei, olhei para ela e disse: "Posso ajudá-la?"

E ela disse: "Espero que sim. Nunca usei um fogão a lenha e não quero colocar fogo na casa."

Enquanto andávamos em direção à casa dela, eu disse: "Então você é Virginia. Todos dizem ser uma ótima psicoterapeuta. O que você faz exatamente?"

"Bem", disse ela, "eu não faço exatamente o que os outros fazem. Eu tento fazer os meus clientes serem felizes".

Como aquilo fez muito sentido para mim, perguntei: "E isso funciona?"

E ela disse: "Tenho tido muita sorte, pois fui capaz de ajudar muitas pessoas que ninguém mais conseguiu."

"Como quem?", perguntei.

"Bem, trabalho muito com esquizofrênicos hospitalizados e descobri que, se você trouxer toda a família para perto, alguns deles não parecerão tão doidos assim."

Como eu estudava sistemas, achei aquilo muito interessante.

Então Virginia se propôs a me levar ao seu trabalho. Ela estava fazendo alguns treinamentos com a equipe de um hospital psiquiátrico, e quando lhe assisti trabalhar tudo o que ela fazia parecia ter total sentido para mim. As perguntas que ela fazia eram muito eficazes e sistemáticas, mas tudo o que eu ouvia da equipe eram coisas como "Ah, ela faz milagres! Ela não é superintuitiva?". Tradução para humanos: "Não é minha responsabilidade aprender essas habilidades, pois se baseiam em quem ela é, não no que ela faz."

Virginia entendeu que o mapa não era o território e levou esse conceito a um nível em que, para mim, era uma revelação. É claro que ela fez muitas coisas – algumas que vocês aprenderão mais tarde –, mas o que ela fazia basicamente era, em vez de interpretar o que as pessoas diziam de forma metafórica, ela interpretava de forma literal. Quando alguém lhe dizia que as coisas não "pareciam" bem, ela supunha que estavam falando sobre uma imagem dentro de suas cabeças. E se dissessem algo sobre o "som" das coisas, ela sabia que estavam se referindo a um som interno. E o mais importante, ela entendeu que as pessoas precisavam de alguém que conseguisse "falar a língua delas", "ver as coisas do jeito delas" ou, se preferir, "compreender seu mundo interior".

Joe estava confuso. *O que Richard quis dizer com isso?*

Bom, deixe-me dar um exemplo que esclarecerá as coisas para vocês. Virginia trabalhava com um casal, pois brigavam tanto que o casamento estava quase arruinado.

"Ele nunca faz nada em casa", começou a esposa. "*Parece* que ele nem mora lá. Eu corro o dia todo tentando deixar a casa com uma *cara* decente, e ele simplesmente bagunça tudo."

E Virginia disse: "Eu *vejo* o seu ponto de vista, Lucy."

A mulher continuou descrevendo imagens, e Virginia reconheceu isso.

Então, Virginia olhou para o marido de Lucy e disse: "E você, Bob?"

Bob disse: "Ela simplesmente *grita* o tempo todo. É impossível ter uma *conversa* com ela. Em um momento está tudo *quieto*, então de repente ela está *berrando* por causa de alguma coisa que eu nem sei o que é."

O marido tende a usar muitas palavras de audição ou som. Vocês conseguem *ouvir* isso?

Com isso, Virginia disse: "Eu *ouço* você, Bob. Então, Lucy, você já tentou *dizer* a ele essas coisas antes de ficar com raiva?"

"É impossível", disse Lucy. "*Veja*, eu coloco o lixo ao lado da porta para que ele o *veja* quando sair. Ele o coloca para fora? Não. Então eu espero para *ver* se ele vai levar quando voltar. E de manhã, o lixo continua ali. Então eu mesma tiro e, quando ele *aparece*, já estou enfurecida."

"Ok", disse Virginia. "Deixe-me *ver* se consigo fazer com que ele *enxergue*. Bob, você *ouviu* sua esposa. Qual a sua história?"

"É como eu já *disse*: parece que ela me *dessintoniza* ou algo assim. Como eu vou saber o que está acontecendo se ela não *fala* comigo? Até parece que eu gosto dos *gritos e berros* costumeiros."

Após uma breve negociação, sempre combinando suas palavras com as de seu interlocutor, Virginia fez Lucy concordar em tentar *dizer* a Bob o que ele deveria *ver*. Em contrapartida, Lucy conseguiu o que queria em outro assunto delicado.

"Ele sempre *fala* que me ama", disse Lucy, "mas nunca *demonstra* isso para mim".

"Como você gostaria que ele *mostrasse* isso para você?", perguntou Virginia.

"Eu gostaria que ele notasse quando visto roupas bonitas ou arrumo o cabelo. Adoraria que ele chegasse em casa com flores."

"Eu *vejo*", disse Virginia. "Deixe-me *mostrar-lhe* uma coisa, mas você também precisa *imaginar* as palavras."

Esse é o jeito de Virginia de superar a experiência visual de Lucy com sua capacidade de falar e ouvir. Foi isso que a tornou o gênio que era.

Então ela se virou para Bob e traduziu a experiência de Lucy em algo que ele pudesse entender: "Bem, agora me *ouça*. Você sabe que quando sua esposa usa um vestido novo e você não *olha* para ela, é como se você estivesse *dizendo-lhe* com a *voz* mais doce do mundo o quanto a ama e ela *se fizesse de surda*?"

"Bem", retrucou Bob. "É exatamente isso que ela faz."

"É porque ela precisa que você *diga* a ela que você a *vê*, que você a *observa*, que você presta atenção em sua *aparência*. Você está me *ouvindo*?"

"*Alto e claro*." E então disse à sua esposa: "É quando eu a *olho* e *vejo* como você é linda que sinto vontade de lhe *dizer* o quanto eu a amo. Eu só não percebi que era necessário ser *dito em voz alta*. Desculpe-me."

Um sorriso apareceu no rosto de Joe. Sua namorada falava muito sobre como ela *via* o relacionamento dele, enquanto ele preferia *discutir* as coisas. "Uau, isso é algo que poderia ser muito útil para fortalecer nosso relacionamento!", disse Joe a si mesmo, com uma voz interna repentinamente mais confiante.

Richard também havia achado isso útil.

Então, nos primeiros livros, nós definimos que desenharíamos os caminhos que qualquer um seria capaz de aprender. Qualquer um poderia aprender a ouvir como Virginia e fazer as mesmas perguntas que ela. Na verdade, vocês aprenderão mais sobre isso esta tarde. Certo, Alan?

Todas as cabeças se viraram. No fundo da sala, Alan acenou com um sorriso compreensivo.

Bom, de volta a Santa Cruz Mountains, um de meus vizinhos era um inglês chamado Gregory Bateson.

Gregory, um homem brilhante, muito intelectual e conhecido, tinha lido meu primeiro livro – fato é que ele o achou tão interessante que acabou escrevendo a introdução –, e um dia ele me disse: "Richard, existe algo que você precisa fazer!"

"O que seria, Gregory?"

"Você tem que ir para o Arizona e se encontrar com Milton H. Erickson."

"Quem é Milton Erickson?"

"Ah, ele é um médico e terapeuta muito famoso! Eu já enviei pessoas para ver o que ele está fazendo e ninguém sequer se lembra de ter estado lá."

"Legal! Acho que eu ia gostar disso!"

Então fomos ao Arizona para nos encontrar com o cara considerado – com toda razão – o melhor terapeuta vivo. Assistimos a Milton trabalhando com seus clientes e, quando retornamos, escrevemos um livro explicando como ele usava a linguagem. Veja, Milton se destacou para mim por três razões. Primeira, foi ele quem teorizou que o inconsciente estava sempre ouvindo e que você pode se comunicar em diferentes níveis de compreensão mesmo no que possa parecer uma conversa normal.

Segunda, Milton percebeu que os sentimentos são contagiosos. Isso significa que se você quer que alguém se sinta bem, você mesmo tem que começar a entrar em um estado maravilhoso.

Terceira, o mais admirável em Milton era que não importava o quanto alguém fosse louco, ele nunca via o ser "louco" como algo por que você devesse ser enclausurado para sempre e nunca via as drogas como uma resposta para as decisões idiotas.

Milton e Virginia nunca desistiam das pessoas. Quando Virginia começava a trabalhar com alguém, ela não parava até que houvesse mudança. Ponto final. Não importava para ela se demoraria 1 hora ou 25 horas – quando ela colocava na cabeça que alguém podia mudar, ela simplesmente não parava nunca. Milton era muito semelhante, e eu peguei isso deles. Essa determinação incessante é absolutamente necessária para sermos eficazes no que fazemos.

Bom, a PNL se baseia na promoção do que gosto de chamar de *liberdade pessoal*. Isso significa a sua capacidade de escolher como lidar com seu cérebro, seu comportamento e sua vida. Mas, antes de mergulharmos nisso, vamos fazer um intervalo de dez minutos.

Joe aproveitou a oportunidade para pegar um café, então voltou para seu lugar e retomou sua conversa com Edgar.

"Então, você estava falando-me sobre Alan..."

"Ah, sim! Achei-o um treinador excepcional. Ele é tipo o Obi-Wan Kenobi da PNL. A força é poderosa com ele. KKKKK."

Ele realmente disse as letras "K K K K K" em voz alta! Joe não podia acreditar. Aquilo foi tudo o que pôde fazer para não se afastar.

Indiferente, Edgar continuou: "Logo de cara ele me deu a impressão de que sabia do que estava falando e, mais importante, ele sabia como passar aquilo. É como se ele sempre soubesse exatamente a sensação da plateia e como capturar sua atenção: dando mais um exemplo na hora certa, fazendo uma piada aqui e ali, mostrando como as diferentes ideias e técnicas funcionam juntas para criar um processo contínuo." Edgar fez uma voz estranha para soar como o Yoda do *Star Wars* e incluiu: "Como usar o lado bom da força, entende ele."

Joe não conseguiu segurar a risada. Edgar *era* realmente engraçado — de seu próprio jeito, bem diferente.

"Nunca tive o prazer de vê-lo no palco", respondeu Joe. "Mas consigo entender o que você está dizendo. Ter alguém como ele como um dos assistentes no último curso foi um diferencial. Ele me ajudou a sanar minhas dúvidas sempre que elas apareciam."

Foi então que Joe percebeu, de relance, que Emily parecia um tanto desanimada. Sua mãe havia saído um momento, e ela estava ali, sentada imóvel em sua cadeira, com a mão direita sobre os olhos. Logo antes de Joe pedir licença e perguntar se ela estava bem, Teresa voltou para seu lugar. Imediatamente Emily abriu um enorme sorriso.

Não era da conta de Joe, mas ele queria saber o que estava havendo com Emily, e se comprometeu a ficar de olho nela.

Capítulo 3

COMO SE SENTIR BEM

Após o intervalo, Richard retornou imediatamente ao palco.

Bom, talvez uma das lições mais importantes que aprendi ao estudar Virginia e Milton tenha sido a de que eles sempre se concentravam em levar o cliente a um estado emocional diferente ao pensar em seus problemas.

Se eles conseguissem fazer o cliente pensar no problema enquanto se sentia bem, isso os ajudava a fazer mudanças poderosas.

A PNL foi criada para dar às pessoas mais controle sobre sua mente. É basicamente o que estamos fazendo aqui. Vocês precisam perceber que podem criar qualquer estado que quiserem, sempre que quiserem. Vocês podem aprender a olhar o mesmo trecho do histórico pessoal de forma diferente… Porque a verdade é que não é seu histórico pessoal que o faz quem você é, e sim sua reação a ele.

Esse conceito era especialmente importante para Joe. *Não é meu passado que me torna quem eu sou, mas como eu reajo a ele.* Ele pensou nisso enquanto Richard continuava.

Tudo que tenho feito nos últimos 40 anos tem a ver com a conquista da liberdade pessoal – ou seja, liberdade de escolha. Não quero que pareça que você nunca mais terá raiva ou medo. Quero garantir que você possa escolher *quando* ter raiva ou medo e *do que* ter raiva ou medo. Dessa forma, você pode começar a tornar todas essas coisas úteis. O medo o mantém em segurança e longe de problemas, mas e o medo de elevador? Sério?

Você deveria ter pavor de coisas que valem a pena ter medo, como desperdiçar a vida remoendo o passado!

Joe sabia que ultimamente ele não estava se dando tão bem com sua namorada, em parte, porque se sentia pressionado, e que ela estava passando por algo parecido. *Eu preciso controlar melhor meu humor*, pensou ele.

Bom, a primeira coisa que quero fazer hoje é uma experiência de pensamento.

Sempre que pensamos, fazemos isso de três jeitos principais: criamos imagens e filmes mentais, falamos sozinhos e temos sensações.

Bem, durante anos, todo mundo falava sobre *o que* havia acontecido em sua vida, em vez de *como* pensava sobre aquilo. O que descobri foi que *o modo* como você pensava a respeito das coisas foi o que determinou como se sentia. Isso significa que você pode ajudar as pessoas a mudar quando as ensina a assumir o controle dos filmes que elas criam na mente e do modo como falam consigo mesmas.

Acho que todos aqui vão ao cinema de vez em quando, então vocês devem conhecer a sensação de assistir a um filme na telona e gostar dele, então assistir-lhe novamente em uma televisão menor e não achá-lo nem de longe tão bom quanto lembrava.

Joe sabia exatamente do que Richard estava falando. Na verdade, recentemente ele havia assistido a um filme na TV e não só ficou com a imagem pior como a história fez menos sentido do que no cinema!

Isso acontece porque o tamanho da imagem importa quando se trata de se sentir mais ou menos envolvido. Mesmo que o conteúdo continue o mesmo, quando você muda a qualidade da imagem – seu tamanho, brilho, distância e cor –, toda sua experiência muda. Agora, pense em algo que aconteceu com você recentemente, e ainda o incomoda, que você gostaria de apagar da memória...

Um episódio surgiu na cabeça de Joe: uma discussão que tivera com um bêbado que estava dando em cima de sua namorada algumas noites antes.

Pode ser que você esteja imaginando uma cena em tamanho real, tão viva quanto se estivesse presente, certo?

Quando Joe pensou a respeito, era verdade: ele se lembrava do ocorrido como se fosse um filme passando diante dos olhos.

Pegue essa imagem e comece a diminuí-la. Então, mova-a para longe e retire sua cor. Se estiver ouvindo vozes e sons na cena, faça sumir junto com o brilho. Deixe a imagem tão pequena que precise espremer os olhos para enxergar, e então deixe-a menor ainda. Quando estiver do tamanho de uma migalha, você poderá simplesmente varrê-la – simples assim.

Joe seguiu as instruções à risca. Conforme diminuía a imagem, ele também abaixava o som da voz do personagem e imaginava a cena indo cada vez mais longe. Enquanto fazia isso, começou a se sentir muito melhor a respeito da experiência.

Essa sensação é bem melhor, certo?

Quase todos concordaram.

Muito bem. Então sugiro que a deixem onde está!

Vejam, é aí que as pessoas costumam perguntar: "E se ela voltar?" Bem, se voltar, você toma mais dez segundos de seu tempo – não deve demorar mais do que isso – e faz tudo de novo. Após ter feito algumas vezes, seu cérebro entenderá e começará a fazer tudo sozinho.

E como estamos falando sobre isso, deixem-me mostrar outro jeito de tornar uma mudança positiva permanente. Desta vez quero que pensem em algo divertido. Sei que muitos de vocês estão mais acostumados a pensar em algo ruim, mas nunca é tarde demais. Na verdade, é incrível: você pede para uma plateia pensar em algo terrível, e todos conseguem na hora. Então você pede que pensem em algo divertido... bem, deixem-me colocar desta forma: alguns de vocês levam esse negócio de diversão muito a sério!

Então quero que vocês pensem em algo divertástico (divertido + fantástico), e então exploraremos juntos sua sala de controle pessoal. É lá que a mágica acontece e você consegue moldar as coisas da forma que quiser.

Imagine uma tela bem na sua frente para que possa ver o que quiser nela.

Agora relembre uma experiência bem agradável, uma em que você tenha se divertido *bastante mesmo* – se ela não o fizer sorrir ainda hoje, não é a que estamos procurando.

Veja o que viu naquele momento, ouça o que ouviu e sinta o que sentiu. Imagine de verdade que você está de volta àquele momento e que está acontecendo agora.

Joe se lembrou de uma viagem de barco que ele fizera recentemente com sua namorada. Recordou-se de como os dois gargalharam por causa de uma careta que Joe tinha feito para ela. Foi uma tarde tão maravilhosa, que ele começou a sorrir só de pensar a respeito. Enquanto isso, uma mulher nas primeiras fileiras teve uma explosão de risos. Richard olhou para ela.

É isso, você obviamente entendeu o que eu quis dizer! E, quando o resto de vocês encontrar uma memória que seja tão boa, mantenham-na um pouco em mente. Agora, o que eu quero que façam é imaginar uma alavanca escrita "Diversão" e que a levantem lentamente. Para ser ainda mais realista, façam o movimento de verdade. Isso mesmo.

Eu sei que alguns de vocês acham isso algo ridículo de se fazer. Aqui vai um conselho: façam o exercício. Imaginem tal alavanca, peguem-na e, quando chegar o momento em que acharem que é algo idiota, pensem nisto: *as coisas que vocês fazem que tornam suas vidas desagradáveis são ainda mais idiotas.*

Enquanto Joe se lembrava vividamente da viagem de barco, um enorme sorriso apareceu em seu rosto. Conforme a sensação maravilhosa se espalhava por seu corpo, ele se imaginou pegando a alavanca e levantando-a.

Agora, enquanto deixam a excitante memória ficar cada vez mais próxima, maior e mais nítida, comecem a levantar lentamente a alavanca, apenas no ritmo e velocidade que se ajustem às mudanças em sua fisiologia. Permitam que tal memória fique cada vez mais perto, maior e mais nítida. Adicionem cores à imagem da memória, façam-na brilhar, observem os detalhes...

E enquanto fazem isso, ouçam uma voz em sua cabeça dizendo: "Deixe a diversão começar."

Joe podia se sentir ficando empolgado conforme o filme ficava maior e mais nítido e ele levantava a alavanca.

Esta é uma técnica de PNL que chamamos de "ancoragem". Você pega uma sensação e a associa a um estímulo – neste caso, a alavanca no painel de controle da sua mente. Como as duas coisas vieram juntas, seu cérebro decide que elas devem estar juntas. Essa técnica maravilhosa lhe permite capturar qualquer sensação e associá-la a uma imagem interna, como a alavanca ou um toque, ou uma palavra, ou um movimento; assim, você pode usar esse estímulo depois para desengatilhar tal sentimento quando precisar dele.

Joe percebeu que estava se sentindo muitíssimo bem quando Richard deu a todos alguns momentos para desfrutar de seus filmes internos antes de dizer:

Ok, agora voltem para a Terra. Quero lhes mostrar algo. Vocês não precisam parar para criar esses sentimentos no futuro, pois agora têm sua alavanca. Então, agora que a maioria de vocês está de volta ao planeta Terra, tentem isto: em sua mente, fechem os olhos e peguem firme a alavanca novamente e a levantem enquanto dizem a si mesmos: "Que comece a diversão."

Joe tentou, e a sensação estimulante voltou na hora. Ele não podia esperar para pôr aquilo em prática!

É assim que as âncoras funcionam na PNL. A quantidade de horas que a maioria das pessoas passa sentindo-se mal é absolutamente ridícula, e a quantidade de horas quando você não se envolve em aproveitar a mágica de estar vivo porque estava muito ocupado é insana. Eu sei que são tempos agitados, mas se você vai correr de qualquer jeito, talvez seja melhor desfrutar disso. Você pode transformar cada uma das coisas que faz em algo mágico, especialmente quando estiver com outras pessoas. Apenas se lembre de entrar no estado certo.

A pergunta que levo as pessoas a fazerem a si mesmas é: "Quão bem você consegue se sentir sem nenhuma razão aparente?" E se você achar que esse é um conceito maluco, pense nisto: as pessoas realmente revivem discussões que não tiveram! Isso não é estranho? E elas nem fazem isso por diversão; fazem para se sentirem mal. Elas têm discussões imaginárias e as repassam uma vez após a outra na cabeça.

Ouçam isto: uma mulher – um ser humano superinteligente, com doutorado e tudo – entrou em meu escritório e disse: "Estou em terapia há 16 anos e ainda discuto com minha mãe o tempo todo."

"Onde está sua mãe?", perguntei.

"Minha mãe morreu."

Bom, eu não sei vocês, mas me deu vontade de rir.

"E você discute com ela o tempo todo."

"Dentro da minha cabeça", especificou ela, como se isso amenizasse as coisas.

Fui a muitos lugares em minha vida, vi muitas coisas estranhas, mas nunca ouvi nada mais aterrorizante do que as coisas que as pessoas falam que há dentro de suas mentes. A ideia de que alguém desperdiçaria horas discutindo com uma pessoa morta dentro de sua cabeça... Na verdade, perguntei a ela: "Você já pensou em simplesmente não fazer isso?"

Ela olhou para mim como se eu fosse louco. E ela estava ali discutindo com sua mãe, repetitivamente, em vez de viver!

Veja, existe uma diferença real entre o interior e o exterior de sua mente, e você tem que entender que isto é o seu cérebro e que você pode fazê-lo funcionar da maneira que quiser. Você só precisa ser capaz de perceber que as vozes dentro de sua cabeça têm controle de volume. Você pode deixá-las mais altas, mais baixas, pode fazê-las dizer o que você quiser – e em qualquer tom de voz que escolher.

Enquanto Joe anotava o que Richard acabara de dizer, sua mente voltou à sua namorada e à primeira vez que eles se viram. Quão diferente sua vida seria agora se lá atrás ele não tivesse assumido o controle daquela voz insistente em sua própria cabeça. Mas agora ela estava saindo de controle e ameaçando seu relacionamento. Ele tinha que voltar ao básico e se recusar a deixá-la ditar seus pensamentos e sentimentos do modo como vinha fazendo ultimamente.

E agora quero lhes contar isto. Um grupo de pessoas – e não me perguntem como elas tiveram esta ideia – pegou uma porção de fermento lácteo, dividiu ao meio e colocou metade em algo que podia medir sua atividade elétrica.

Então elas derramaram leite sobre a outra metade – você sabe, é isso que as bactérias comem: leite.

Bem, quando essa metade se alimentou, a outra metade – a que tinha os sensores – começou a reagir: ela sabia que a outra metade havia sido alimentada!

Então me perguntaram: "Richard, como podemos explicar por que quando alimentamos uma metade das bactérias, a outra metade sabe?"

"Porque são gêmeas."

"Bom, isso não é bem uma explicação."

"Ok, então existe outra explicação mais simples: bactéria conhece bactéria."

Elas me olharam totalmente confusas, mas creio que tudo está vivo à sua própria maneira. Até as ideias estão vivas. É isso que torna isto aqui tão importante.

Depois, os pesquisadores tentaram colocar barreiras entre as duas metades do fermento. Fizeram-nas com madeira, com diferentes metais, tentaram barreiras eletromagnéticas, e ainda assim, quando alimentavam uma metade do fermento, a outra metade enlouquecia.

Elas disseram: "Não conseguimos entender. Tem que haver uma explicação para isso."

Eu disse a elas que havia uma e que, se me deixassem sozinho ali, eu construiria uma barreira através da qual o fermento não conseguiria se comunicar.

Elas disseram: "Isso é impossível, Richard. Nós tentamos de tudo."

E eu disse: "Não, vocês não tentaram."

Mas é isso que acontece quando você confunde seu mapa com o território que ele deveria representar. Quando as pessoas se recusam a aceitar que a realidade pode ser bem mais complexa e variada do que sua representação, elas não têm mais espaço para melhorias.

Quando elas voltaram, uma semana depois, eu havia construído a barreira. Elas fizeram o experimento, e o fermento não reagiu. Então perguntaram: "Do que foi feita essa barreira?" A verdade é que era um aquário cheio de fermento lácteo. Então, quando uma das bactérias vibrava contra a parede de bactérias, a vibração era absorvida. E não se propagava.

É por isso que é tão importante que vocês percebam que o estado em que estão é a principal ferramenta com a qual estão trabalhando. Vocês não podem estar depressivos e querer ajudar as pessoas a serem alegres.

Acontece que, quando construí a barreira de bactérias, entendi que as coisas que vibram o fazem juntas. Quando você pressiona a tecla de um piano, todas as cordas com aquela harmônica vibram. É porque as coisas se conhecem. O que significa que se você andar por aí emburrado, encontrará pessoas emburradas ou então as pessoas ficarão emburradas perto de você. Você colhe o que planta.

Bactéria conhece bactéria e pessoas conhecem pessoas. Se você quiser que alguém se sinta de determinada forma, você tem que se sentir de tal forma primeiro.

Ao ouvir isso, Joe repentinamente percebeu que seus estados emocionais de fato afetavam bastante sua namorada. Sempre que chegava em casa estressado do trabalho e ela ia para lá, notava ela ficar cada vez mais irritada com o passar da noite. *Bem, talvez essas grandes variações de humor não sejam culpa dela então. Talvez seja meu estado que a afete*, pensou ele. Essa é uma revelação e tanto.

Richard estava falando sobre a diferença que os estados podiam fazer:

Por exemplo, trabalhei com um cara que era chefe de uma empresa. Seu problema era que ele tinha medo de conhecer mulheres. A loucura foi que quando perguntei a ele qual era seu hobby, disse: "Salto de esqui."

"Aquele em que você salta de uma montanha e voa?"

"Sim", disse ele.

"E você tem medo de mulheres?"

"Sim!"

"Claro", provoquei-o, "elas são tão assustadoras! Especialmente quando brigam pelo último par de sapatos da liquidação!".

Todos riram.

É aí que você tenta fazer as pessoas se sentirem tão tolas quanto sua atitude. Porque se as pessoas *não* se sentirem tão tolas quanto sua atitude, elas começarão a levar seus problemas muito a sério. E se você leva os problemas muito a sério, apenas os torna mais reais, porque, você sabe, essas coisas *não são* reais, são ilusões. Pisar em um prego que atravessa seu pé – isso é real e dói. Ainda assim, as pessoas conseguem aprender a controlar até essa dor.

De qualquer forma, esse cara me disse que quando ele via mulheres ficava totalmente petrificado. Então eu olhei para ele e disse: "Ok, deixe-me entender: você coloca duas varas nos pés, encera-as, desliza por uma montanha em uma velocidade muito alta, decola da montanha voando pelo ar por centenas de metros sem um paraquedas... e isso não o assusta?"

"Não, é empolgante."

"E você vê uma pessoa sentada sozinha em uma mesa, bebendo café. Ir até ela e cumprimentá-la o apavora."

"Sim, absolutamente."

"Saltar de uma montanha... contra dizer 'oi'. Isso não se equilibra para mim de jeito nenhum."

Ele me olhou encabulado e disse: "Eu sei que parece loucura."

"Porque é!", disse a ele. "Vamos inverter as coisas. Sabe aquela sensação de empolgação que você sente logo antes do salto?"

"Sim, sim!"

"Ok. Pegue essa sensação e a movimente pelo seu corpo. Torne-a cada vez mais forte. Agora quero que você desça e, conforme movimenta essa sensação, vá até as pessoas e diga 'oi'. Encontre pessoas com quem você jamais falaria. Se começar a sentir medo, quero simplesmente que se lembre da sensação de saltar de uma montanha. Você sabe, isso vai ajudá-lo enquanto sentir medo, não é?! Então, se começar a sentir medo, apenas pare. Pare de pensar a respeito, volte, lembre-se da sensação de esquiar, então olhe para o que quer fazer e leve essa sensação consigo."

Então ele saiu e sumiu por cerca de uma hora. Pedi uma pessoa para procurá-lo, e quando ela voltou me disse: "Ele não vai voltar, porque está conversando com uma moça!"

Joe riu. Era como a primeira vez em que ele se encontrou com sua namorada. Ele se lembrava de falar consigo mesmo continuamente sobre como ela não se interessaria em conhecê-lo. *Que estranho*, pensou ele, *que alguém com quem hoje eu me sinta tão confortável costumasse ser alguém com quem eu tinha pavor de falar.*

Bom, deixem-me demonstrar como você pode pegar as boas sensações que ancoramos antes e usá-las para transformar sua vida. Com licença, senhora, qual seu nome?

Richard estava apontando para a mulher que Joe havia visto vasculhando ansiosamente sua bolsa mais cedo. *Isto vai ser interessante*, pensou ele. *Um baita desafio*.

A mulher parecia mais estressada do que nunca enquanto Richard apontava para ela. Seu rosto ficou vermelho.

"Liz", respondeu ela com uma voz tensa.

O que você faz, Liz? Quando você não está preocupada, claro.

Liz parecia chocada que ele soubesse. Richard apenas sorriu.

Não fique tão surpresa, Liz, estava escrito na sua testa. Literalmente. Você sabia que quando torce a cara desse jeito não consegue criar sentimentos muito bons?

Liz balançou a cabeça.

Bem, quando você sorri, seu cérebro libera químicos de felicidade em seu corpo e, quando você faz cara feia, ele libera um conjunto diferente de químicos que produzem estresse e preocupação. Uma boa ideia seria relaxar mais seu rosto e dar a si mesma uma dose de boas sensações.

Então, o que você faz, Liz?

"Eu sou professora", disse ela, alto o bastante para que Joe ouvisse.

Professora? Sendo assim, é ainda mais importante que você entenda isto, Liz. Porque bactérias conhecem bactérias, e as crianças da sua sala precisam estar perto do tipo certo de bactéria – o tipo saudável, se é que você me entende.

Mas antes que eu convide Liz pra subir ao palco, vamos fazer um intervalo de cinco minutos.

Joe estava ansioso para ver como aquilo funcionaria com Liz. Seria interessante ver se Richard seria capaz de ajudá-la. Ele olhou suas anotações, e após alguns minutos Richard continuou:

Bem, Liz, você pode subir aqui e me ajudar com uma coisa? Você parece estressada demais, e eu quero ensinar-lhe uma técnica que pode ajudá-la.

Liz subiu ao palco e se sentou ao lado de Richard. Ela estava tão ofegante que quase dava para ouvir.

Deixe-me lhe perguntar uma coisa, Liz: quanto tempo você passa se sentindo mal?

"Horas e horas", respondeu ela mansamente.

Joe quase riu da honestidade da moça. Admitir que você passa boa parte de seu dia se sentindo mal parecia engraçado para ele. Mas o que o preocupava era que ele mesmo estava passando bastante tempo fazendo exatamente a mesma coisa. Ele sabia que tinha que prestar atenção ao que Richard estava falando.

Que bom ver que você está sendo sincera comigo, Liz. O que eu quero que você considere é: quando você mudar, o que você fará com todo esse tempo? Apenas pense sobre todo o tempo livre que você terá. É *isso* que me preocupa! Alguns de vocês passam tanto tempo se preocupando e se estressando que nem lembram mais como é se sentir bem de verdade. Se eu tratar apenas o que a preocupa, é possível que você apenas encontre outra coisa com que se estressar. É por isso que faremos as coisas do meu jeito.

Eu tenho uma recomendação, e alguns de vocês podem querer testar isso. Quero que feche os olhos, Liz, e pense sobre uma das melhores sensações que já sentiu.

Richard parou, deixando-a acessar a experiência. Ela franziu a testa em concentração, obviamente lutando com as lembranças.

Tente algo tão bom que você mal consiga nos contar.

Liz corou, sua testa franzida se desfazendo em um sorriso.

Isso! É disso que estou falando. Veja, pessoal, o pensamento certo pode afetar toda a sua fisiologia instantaneamente. Esse é o tamanho do poder da mente. Esse é o tipo de resposta que quero incitar e melhorar, para que possa usá-la todos os dias e tornar sua vida absolutamente fantástica.

Ok, agora essa sensação incrível, diga-me, onde ela começa no seu corpo? Em que parte de você? E para onde se move?

Liz pensou um pouco e então respondeu: “Meu estômago. E sobe.”

Sobe, ok. Agora, quando a sensação boa desaparece, para onde ela vai? Quando você para de pensar nela, para onde ela vai?

Após alguns segundos, Liz empurrou as mãos para longe do corpo. “Para fora”, respondeu ela.

Ok, aqui vai um truque que vai ajudá-la de verdade: deixe a sensação boa subir e, logo antes de ela desaparecer, puxe-a de volta ao início, para que se mova em círculos, e comece a girá-la sem parar.

Isso.

Liz começou a sorrir conforme se concentrava novamente.

Gire mais rápido enquanto continua pensando nessa experiência. E mais rápido. Isso.

Agora nivele, de modo que gire no meio conforme gira ao redor ainda mais rápido. Veja, você não tem ideia do quanto de prazer seu corpo é capaz de criar.

Gire mais rápido e, se continuar girando, vai mudar de um jeito único.

A tensão no rosto de Liz se dissipava — ela até sorriu.

Isso mesmo, fique à vontade para se divertir – enquanto muda sua vida para sempre.

Óbvio que você percebe que quanto mais rápido você girar a sensação e mais rápido ela a contornar, mais cedo chegará a um ponto em que se sentirá muito bem. É aí que as pessoas vão pará-la e perguntar: "O que aconteceu com você? Está sorrindo o tempo todo. O que há de errado?" Eu adoro quando fazem isso. Então você apenas olha para elas e ri.

E foi exatamente isso que Liz fez. Aliás, Joe percebeu que seu humor estava se espalhando rapidamente pela plateia. *Richard tem razão*, pensou ele. *Os estados são contagiosos.*

Richard estava explicando mais.

Perceba, se for uma sensação boa, você não quer que ela suma, e sim cresça, permaneça e fique mais forte.

Melhor ainda, vamos pegar essa sensação boa e incluir algo nela, pois sei que você enfrentará situações no futuro que já a fizeram mal no passado.

Agora quero contar-lhe a respeito de uma técnica que pode usar para espantar sensações ruins. Ok, Liz?

Liz balançou a cabeça.

O que eu quero que você faça é pensar sobre a principal coisa que já a fez sentir-se mal. Imagine-se vendo-a em uma tela e controlando o botão de brilho. Então, em um movimento rápido, quero que você gire o botão todo para o máximo, para deixar a imagem totalmente branca – em um instante você a vê, e logo depois ela está totalmente branca.

Quando Liz fez isso, se contorceu um pouco na cadeira.

Excelente! Faça novamente. Imagine aquilo que lhe fez mal. Agora branqueie, bem rápido. De novo. De novo. Agora pegue a sensação ótima que você estava girando e, enquanto você imagina essa situação no futuro, branqueie o pensamento ruim e gire essa sensação boa em volta.

Ao fazer isso, você ouvirá uma voz interna dizendo: "Nunca mais!"

Pois algumas vezes você sentirá que já basta e não vai mais se permitir continuar fazendo aquilo. Se você pensar na quantidade de horas que desperdiçou nisso e pensar no quanto pode se divertir em vez disso, não vai mais desperdiçar tempo fazendo coisas que não quer fazer. É assim que terá mais tempo para construir hábitos novos e positivos.

Então, imagine-se nessa situação difícil no futuro, mas desta vez branqueie qualquer imagem negativa e sinta essa sensação boa girando mais rápido pelo seu corpo – e note o que acontece.

Bom... quero que você pare e pense sobre essa situação e veja como se sente a respeito dela. Consegue se imaginar sentindo-se mal?

Liz tentou, mas seu rosto mostrou apenas surpresa e então uma percepção relaxada de que uma mudança havia acabado de acontecer.

O fato é que se você entrar no estado certo, poderá fazer praticamente qualquer coisa. Mas se você não mudar seu próprio estado interno, então como pode esperar que qualquer outra coisa mude?

Quando comecei, sendo um cientista de informação, fiz as coisas de modo diferente das outras pessoas. Fui e coloquei um anúncio no jornal procurando pessoas que tiveram fobias e haviam livrado-se delas. Consegui que cerca de cem pessoas viessem, e disse a cada uma delas: "Ok, você tinha uma fobia. Como se livrou dela?"

E elas me contaram basicamente a mesma história. Era algo assim: "Bem, depois de muitos anos, cansei daquilo e disse: 'Chega. Não aguento mais. Foi a gota d'água.'" E então todos pararam, bateram na testa e disseram: "Naquele momento, olhei para mim mesmo e vi quão idiota eu era por ter medo."

E eu escrevi o seguinte:

1. Bater na testa (provavelmente opcional!).
2. Dissociar – ou seja, ver-se na imagem.
3. Observar-se fazendo aquilo de um ponto de vista separado.

E decidi tentar aquilo em pessoas que ainda tinham fobias.

Naquela época, tinha um cara de Wessington. O problema dele era ter ataques de pânico sempre que tentava sair da cidade.

Então pedi a ele para se imaginar dirigindo em direção ao limite da cidade e observar a cena como se fôssemos o Super-Homem voando ao lado de seu carro, olhando para ele próprio dirigindo sua caminhonete. Enquanto voava, ele se via freando bruscamente, saindo do carro e surtando, mas a parte dele que estava observando toda a cena simplesmente continuou voando para fora da cidade. Bom, o truque é que dentro de sua cabeça eu já tinha conseguido fazer ele voar tranquilamente e, ao mesmo tempo, sair da cidade.

Agora, se você se vir de longe no primeiro carrinho de uma montanha russa, será uma experiência totalmente diferente de realmente se sentar ali. A perspectiva é outra, e há outro conjunto de sensações. Sabendo que essas coisas são diferentes, quando as pessoas querem mudar seus sentimentos, uma das coisas que sempre faço é encontrar um jeito de literalmente encontrarem uma nova perspectiva.

E isso nos traz de volta ao experimento de pensamento que tentamos antes. Essa mudança de perspectiva é apenas uma dessas variáveis – brilho ou tamanho da imagem – que você encontra na mente das pessoas. Na PNL, as chamamos de *submodalidades*.

E agora, vamos dar à Liz uma salva de palmas. Obrigado, Liz.

E, assim, Liz voltou para seu lugar com uma aparência muito melhor do que quando subiu ao palco desconcertada.

Joe estava intrigado enquanto Richard explicava mais sobre submodalidades.

Deixem-me repassar essa ideia mais uma vez. Dentro da sua cabeça, as imagens têm que ter um lugar; têm que ter uma distância; têm que ter um tamanho; ou são branco e preto ou são coloridas, ou são um filme ou são um slide. Os sons têm que vir da direita e/ou da esquerda; ou soam como se estivessem entrando ou saindo. Estas, para mim, parecem ser as distinções importantes que temos que fazer sobre as coisas Que deveriam estar em nosso manual. Infelizmente, não viemos com um, então criamos o nosso próprio.

A razão pela qual me concentro tanto neste ponto de descobrir onde nossas sensações começam e como elas se movem – e em tornar essas imagens menores ou maiores, e as sensações vão no sentido contrário – é que descobri a coisa mais simples de todas, que é o fato de que você pode repaginar seu comportamento mudando o jeito como se sente. E você pode mudar o modo como se sente fazendo algo diferente com os sons e as imagens que cria em sua mente.

Agora eu fiz Liz subir aqui e ficar quanto... uns cinco minutos?

Enquanto Richard olhava para Liz, ela acenou com a cabeça e sorriu lindamente. Ela parecia muito mais relaxada.

Em sua mente, você pegou algo e branqueou e girou seus bons sentimentos mais rápido, não foi? E quando pensa a respeito daquilo agora, sente-se totalmente diferente.

E isso é muito sério, certo, Liz?

A voz de Richard soava séria e apreensiva. Ele olhava firmemente para Liz, que começou a gargalhar!

Ei, do que você está rindo? E seus problemas? Onde estão a dor e o sofrimento? Ah, sim: você está resistindo à mudança! Você quer seus problemas de volta? Veja bem, o caso é que, como eu não preciso saber qual é o problema, eu não pergunto. E então, quando as pessoas querem seu problema de volta, eu me arrisco a lhes devolver o problema errado.

Liz estava segurando a barriga, com o rosto ficando vermelho por causa da risada, enquanto Richard continuou:

> Pense em todas as coisas que lhe fizeram se sentir mal. Vamos lá, você consegue! Todos os pensamentos que a deixaram estressada, preocupada, ansiosa...

Liz estava rindo cada vez mais alto.

> Não pode ser tão fácil. Você precisa gastar muito mais tempo se sentindo mal. Não pode já estar se sentindo bem! Liz, você é mesmo uma péssima cliente. E todos os erros que cometeu? E suas experiências ruins?

Ela simplesmente continuou rindo e, enquanto continuava, a multidão se juntou a ela. Richard olhou a plateia e piscou, com os olhos brilhando.

> Não seria terrível se toda vez que você começasse a se sentir mal simplesmente sofresse um ataque de risos? Porque, para mim, o truque mesmo é entrar em sua mente e mudar as imagens e o modo como fala consigo mesmo e faz seu cérebro se sentir bem de verdade. É isso que chamo de "terapia ridícula"!
>
> Quando fiz isso com o cliente que tinha medo de mulheres, ele foi capaz de mudar seu comportamento. Ele não era capaz de se aproximar de uma mulher até que algo dentro dele tornasse isso divertido. Você só consegue fazer isso pegando as coisas que parecem difíceis e mudando o modo como se sente a respeito delas.

E isso não se faz vasculhando sua infância. Se sua infância o machucou, voltar a ela só vai machucá-lo mais.

Como estamos falando de infância, é hora de você passar um pouco dessa *sensação boa* para os alunos da sua sala, Liz. Diga-me, você já notou que quando está de mau humor as coisas parecem mais difíceis, e até mesmo um probleminha pode parecer o fim do mundo? Você acha que é possível que quando você se sente mal isso passe para as crianças? Você já notou que quando se sente bem consegue lidar com a classe com muito mais facilidade?

Liz, com o rosto agora iluminado, parou um segundo e então respondeu: "Sim, às vezes saio da cama com o pé esquerdo e simplesmente sei que será difícil lidar com as crianças..."

Richard a interrompeu:

Já lhe ocorreu que talvez, por algum acaso, não tenha a ver com possuir poderes psíquicos e ser capaz de prever como elas estarão? E se, ao invés disso, você decidisse se sentir bem sem qualquer motivo aparente? Como você acha que seus alunos corresponderiam se você estivesse de bom humor com mais frequência? Pense nisso. Ser professora pode ser mais fácil.

Liz pensou nisso por um momento, com a testa franzida, como se estivesse considerando a possibilidade de que era realmente o humor *dela* que influenciava as crianças, e não o contrário. Então pareceu que ela de repente teve uma ideia, e foi quando Richard adicionou:

Ou você faz isso ou encosta a cama na parede. Assim vai sempre levantar com o pé direito.

Isso fez Liz começar a rir de novo. Richard se dirigiu à plateia:

Agora já é hora de todos vocês terem a chance de tentar. Escolham um parceiro, apresentem-se e então ajam. Decidam quem começa. Perguntem ao outro se existe algum ponto de sua vida em que se sinta preso ou bloqueado, uma situação em que sinta sensações ruins sempre e se isso limita seu comportamento, pois leva ao mais terrível dos comportamentos que um humano pode ter: hesitar. E hesitar, e hesitar. E quando percebem, não existe mais nenhuma oportunidade. Pois quando a oportunidade passa, você pode observá-la indo embora e, então, viver com o arrependimento para o resto da vida ou pode agarrá-la e tentar algumas coisas.

Joe se remexeu na cadeira. Ele mal conseguia esperar para se levantar e fazer logo o exercício. Mas Richard ainda tinha mais algumas instruções.

Eu quero que se sentem com seu parceiro e o façam entrar em um estado em que se sinta muito bem. Agora, a chave é você entrar primeiro. Lembre-se: bactéria conhece bactéria. Então...

1. Entre em si mesmo e pense em algo que o faça se sentir muito bem. Aumente a imagem e a torne mais nítida para aumentar as sensações.
2. Peça que seu parceiro faça a mesma coisa. Faça-o girar o bom sentimento por todo seu corpo até que se sinta maravilhoso.
3. Faça-o pensar sobre o momento turbulento no futuro e sobre o que o faz se sentir mal. Faça-o pegar o botão de brilho e branquear a imagem. Faça isso duas ou três vezes bem rápido.
4. Faça-o girar o sentimento maravilhoso bem rápido por todo o corpo para que fique repleto de uma incrível sensação de bem-estar.

Quando fizer tudo isso, você permitirá que ele mude o modo como pensa sobre a situação e lhe dará o que realmente importa: a liberdade de se sentir tão bem quanto quiser quando mais precisar.

Agora, ao trabalho.

Apesar de ter superado um certo grau de timidez romântica em sua vida pessoal, agora Joe estava totalmente consciente de que não estava usando algumas dessas habilidades no trabalho. Sempre que ele pensava sobre certas reuniões, recolhia-se e se preocupava com o que aconteceria caso fizesse papel de bobo ou esquecesse o que estava falando. Ele não sentia mais medo de se apresentar; era mais o fato de ficar desconfortável ao falar com certas pessoas individualmente. Se elas fossem desconhecidas, ele sentia como se as entediasse. E ele decidiu trabalhar com Teresa nessa questão.

Teresa começou entrando no estado certo, então se virou para Joe e o fez entrar em sua própria mente e pensar em um momento no qual se sentira realmente bem. Joe pensou sobre um fim de semana em que viajou com sua namorada e eles se divertiram mais do que nunca. Ele riu naquele fim de semana como não fazia há muito tempo.

Quando Joe abriu um sorriso largo, Teresa o fez dobrar o tamanho do filme e imaginá-lo com ainda mais nitidez. Joe ficou radiante. Então Teresa o fez girar o sentimento bom por todo seu corpo.

Depois, Teresa fez Joe pensar em um momento no futuro com o qual se preocupava. Ele pensou sobre uma reunião específica que aconteceria em algumas semanas. Mas, antes que ele pudesse ficar nervoso, Teresa pediu que Joe pegasse o botão de brilho e virasse para o máximo, de modo que branqueasse a imagem. Ele fez isso algumas vezes, e então Teresa o fez girar o sentimento bom novamente.

No final, Teresa sugeriu que Joe pensasse sobre a reunião do futuro. Ele sorriu. Estava se sentindo muito melhor a respeito da reunião. Naquele momento, um pensamento percorreu sua mente: *se foi tão bom fazer isso uma vez, quão melhor isso se tornaria com a prática regular, imaginando diferentes situações?* Talvez a timidez não fosse um traço de personalidade fixo. *Talvez*, pensou ele, *a timidez seja apenas um estado de espírito.*

Em seguida eles trocaram, e Joe ajudou Teresa com o problema dela. Apesar de ter aplicado a PNL com sucesso em sua vida e em seu trabalho como médica, Teresa explicou que ela tinha dificuldade quando se tratava de lidar com pessoas difíceis. Quando lidava com pessoas particularmente agressivas, ela perdia a confiança em si mesma. Joe, que já se sentia incrivelmente bem após ter passado pelo processo, fez Teresa pensar sobre como se sentia quando estava mais confiante e a fez girar a sensação por seu corpo. Depois, quando ela ficou radiante, ele a fez criar uma imagem em que tinha que lidar com uma pessoa agressiva no futuro. Ele a fez branquear a imagem e imaginar o sentimento bom girando por seu corpo. Para seu deleite, conforme ele a guiava pelo processo, todo o corpo de Teresa se endireitou, e no final ela estava com uma aparência muito mais confiante.

Richard voltou ao palco.

Como se saíram? Bem divertido, né? Quando começaram a pensar sobre coisas agradáveis, a outra pessoa não começou a sorrir? Isso significa que existe algo contagioso acontecendo. Os humanos influenciam uns aos outros sempre que se comunicam, e a construção de bons sentimentos não deve ser apenas algo que você faz aqui, mas parte de como você faz as coisas todos os dias. Ao pensar sobre seu casamento, você deve associá-lo a todas as memórias boas que tem, e ao pensar em coisas desagradáveis – bem, apenas se retire da imagem. Se você associar seu casamento a todas as coisas ruins que seu cônjuge faz, ficará bravo com ele o tempo todo.

Se por acaso você pensar sobre algo desagradável que tenha ocorrido em sua vida, certifique-se de que seja como uma foto Polaroid em preto e branco. Então, empurre-a para longe, e logo aquilo não terá mais tanta importância.

Se você vibra coisas como felicidade, alegria, empolgação... bem, adivinhe? As pessoas ao seu redor começarão a fazer o mesmo sem ao menos saber o que aconteceu. Se você consegue entrar em um estado que seja bom, as pessoas ao seu redor farão o mesmo. São essas coisas que seu subconsciente está absorvendo.

Agora vamos almoçar. Voltem em uma hora e meia sentindo-se bem e prontos para uma surpresa!

Richard saiu do palco com uma salva de palmas.

Joe, Teresa e Emily saíram juntos, e Joe convidou Edgar para se juntar a eles. Quando se sentaram no restaurante, Joe dividiu algo que estava em sua mente o dia todo: "Esta manhã, Teresa, você disse algo sobre a certeza evitar o aprendizado, e não entendi muito bem. Ter fortes crenças e certezas com segurança não é algo bom?"

"Suponho que podemos dizer que não é a certeza *em si* que é ruim", esclareceu Teresa. "Existem coisas a respeito das quais é bom ter certeza, e há momentos em que ter certeza se torna um obstáculo."

"Ainda estou confuso a respeito disso", admitiu Joe.

"É exatamente isso que quero dizer. Agora que você já ouviu que o mapa não é o território, deixe-me colocar desta forma: se você viesse aqui e não experimentasse nenhuma confusão, significaria que você foi capaz de encaixar tudo o que viu e ouviu em seu mapa antigo. Algumas pessoas têm tanta certeza de que seu mapa *é* o território que não importa de onde venham as informações, elas conseguirão encaixá-las naquilo que já conhecem."

Enquanto Teresa estava falando, Joe percebeu a expressão no rosto de Emily. Ela não estava realmente os ouvindo, apenas olhava para o nada. Algo a incomodava, mas parecia que ela não queria que sua mãe percebesse. Quando viu que Joe a estava observando, aprumou-se e olhou para o outro lado, um pouco envergonhada.

"Veja, Joe", continuou Teresa, "é como tentar colocar um pino quadrado em um buraco redondo. Se você se apegar à sua certeza de que o mapa *é* o território, presumirá automaticamente que todos os pinos devem ser redondos. Então, você só é capaz de entender aquilo que está experimentando de duas formas: ou 'distorce' o pino quadrado até conseguir encaixá-lo no buraco redondo ou o descarta como se não fosse importante, 'excluindo', assim, aquele fato. Em qualquer caso, a certeza serve apenas para reforçar a crença de que você tem razão sobre as coisas. É a dúvida que gera espaço para a criação de um buraco em que o pino quadrado se encaixe perfeitamente. Portanto, acho que 'falta de confusão' pode significar 'falta de aprendizado'. Você não pode descobrir algo novo sobre si mesmo ou sobre o mundo ao seu redor sem modificar ou expandir seu mapa. E você não consegue mudar seu mapa sem ao menos um mínimo senso de confusão. A confusão é a porta de entrada para a clareza".

"E se você observar o que Richard está fazendo no palco", completou Edgar, "é fato que ele nos está fazendo construir crenças fortes, mas ele também está gastando bastante tempo e energia para derrubar as crenças típicas que travam as pessoas, como a ideia de que a mudança tem que ser lenta e dolorosa".

"Vocês dois parecem ter entendido tudo", disse Joe com um toque de inveja.

"Os cabelos brancos têm que valer de alguma coisa", brincou Edgar.

"Aliás", perguntou Joe, "como você integra psicoterapia e PNL?".

"É fácil!", rebateu Edgar.

"Quer dizer que você não tem que quebrar a cabeça para unir as duas coisas?"

"Nem um pouco. A PNL oferece algumas ferramentas notáveis para entender como nos comunicamos com nós mesmos e com o resto do mundo. Você pode aplicar tais ferramentas em muitos contextos diferentes. É por isso que, na minha opinião, a PNL é tão atraente para as pessoas em todas as classes sociais."

"E como você chegou à PNL?", Teresa perguntou a Edgar.

"Trabalhando na minha profissão, uma hora ou outra você acaba ouvindo sobre o trabalho de Richard Bandler. Pessoalmente, estou sempre em busca de novas perspectivas, novas abordagens e técnicas que possa incluir em meu próprio jogo de ferramentas. Sempre que fico estagnado com um paciente, sei que é hora de explorar algo novo. Isso me mantém aberto a novas possibilidades. Sou curioso por natureza, e ter um desafio me ajuda a continuar motivado. Eu aprendi muito com o campo da PNL. Uma coisa que sempre tenho em mente é – especialmente quando eu vejo um comportamento 'ruim' – outro princípio importante da PNL: *as pessoas tomam a melhor decisão que podem no momento*. Isso significa que uma pessoa costuma fazer a melhor escolha que pode, conforme seu mapa do mundo. A escolha pode ser contraproducente ou bizarra, mas para ela parece o melhor caminho a seguir. Ajude-as a expandir seu mapa do mundo e elas farão escolhas melhores."

Joe gostou muito desse conceito. Ao pensar em como aplicar isso em sua vida, ele considerou a ideia de que era essencial entender e respeitar o mapa dos outros. *Meu mapa*, pensou ele, *representa como eu penso sobre o mundo e determina o que eu faço e como me comunico com os outros. Se um colega de trabalho opera a partir de um mapa que seja significativamente diferente do meu, pode ser difícil me comunicar com essa pessoa. Não vamos nos entender muito bem.*

Joe decidiu que dali em diante recuaria e aprenderia mais sobre os pontos de vista e perspectivas de seus colegas.

Enquanto ele pensava a respeito, Emily entrou na conversa: "Então, quando eu falho miseravelmente em chamar a atenção de algum de meus amigos sobre algo, é porque o mapa deles é diferente do meu? Às vezes eu acho, como diz o ditado, que *todos são sábios, até falarem.*"

Joe sorriu. Emily era uma figura. Da boca daquela adolescente saíram pérolas de sabedoria que ele esperava ouvir de um sábio de 80 anos em um pub no centro de Dublin.

Teresa também sorriu. "Sim, querida. É por causa da diferença entre seus mapas. E tenho um pensamento que pode ser útil em situações como essa: e se o significado de suas comunicações não for o que você pretendia, mas a resposta que você recebeu?"

Emily olhou para ela perplexa.

"Esse é um dos princípios da PNL", esclareceu Edgar. "A fim de tornar suas comunicações mais eficazes, você as mede conforme a resposta que recebe. Desta forma, se você receber a resposta que esperava, sua comunicação foi bem-sucedida. Por outro lado, se você recebe uma resposta diferente, ainda tem a chance de ter sucesso mudando o que estiver fazendo."

"O que vocês estão dizendo", Emily tentou resumir, "é que não se trata de a outra pessoa entender direito o que eu quero dizer, mas, sim, de eu me fazer ser entendida?"

"Creio que esse seja um jeito de explicar", confirmou Edgar, e então olhou para Teresa. "O que você acha?"

"Concordo", respondeu Teresa. "E contanto que você aja assim, nunca falhará em suas comunicações, pois a resposta da outra pessoa se tornará o feedback que lhe permitirá saber se está indo na direção certa. É claro que isso significa que você tem que assumir a responsabilidade sobre sua comunicação, e se não estiver conseguindo o resultado que espera, precisará mudar o que está fazendo."

Edgar concordou. "O princípio aqui é o de que as pessoas nunca conseguirão ler seus pensamentos – exceto os Jedi, claro."

Teresa riu da piada.

E Edgar continuou: "É claro que as pessoas conseguem fazer algumas suposições, mas, no fim das contas, elas conseguem apenas responder àquilo que *pensam* que você quer dizer, o que pode ou não ser uma interpretação precisa do significado que você queria passar. Na minha profissão, o valor disso é o que mostra que se quisermos que as pessoas respondam da forma correta ao que dizemos, precisamos falar *com* elas, em vez de *para* elas. Isso significa que precisamos estar constantemente conscientes das respostas das outras pessoas àquilo que estamos dizendo e ajustar nossa comunicação adequadamente, em vez de simplesmente presumir que elas entenderão o que queremos que entendam".

Joe fez uma nota mental a respeito disso enquanto se concentrava em seu almoço. Ele estava realmente se divertindo. Aquilo era uma das coisas que ele mais gostava sobre esses cursos: ter a chance de dividir experiências e insights com outros participantes.

Capítulo 4

COMO SE TORNAR UM COMUNICADOR EXCEPCIONAL

Antes de voltar após o almoço, Joe deu uma volta sozinho até o parque próximo dali. Ele queria se beneficiar do exercício que haviam acabado de fazer pensando na maior quantidade de reuniões de trabalho que pudesse e praticando a mudança de seus sentimentos a respeito deles.

Joe sentiu que havia aprendido algumas maneiras muito valiosas de controlar melhor seus sentimentos. Ele já estava se sentindo mais no controle de sua vida e decidiu experimentar com suas submodalidades. Além de trabalhar na técnica que havia praticado com Teresa, ele tentou encolher o tamanho das imagens negativas que havia criado. Isso as tornou menos intensas. Quando retirou a cor de seus pensamentos negativos, isso também ajudou. Como sua voz interior crítica parecia afetá-lo negativamente, ele sabia que tinha que fazer algo a respeito também. Em vez de focar *o que* estava dizendo, ele trabalhou *como* estava dizendo aquilo — o tom de voz que usava ao criticar a si mesmo. Dar à sua voz um som mais ameno de fato o fez se sentir muito melhor.

Satisfeito com os resultados, ele retornou à sala do seminário e encontrou um lugar no qual se sentar. Quando Richard voltou ao palco, Joe estava sorrindo, na expectativa de suas próximas reuniões. Sentir-se melhor sobre elas era um ótimo começo, mas ele sabia que tinha que aprender também o modo mais eficaz de se comunicar com seus clientes e colegas. E Joe estava ansioso quando Richard começou a falar.

Bom, hoje de manhã vocês aprenderam não somente que podem controlar o modo como se sentem, mas também que afetam os outros sem nem falar com eles. Seu estado afeta o estado do outro – lembrem, bactéria conhece bactéria.

Esta tarde quero fazer algo diferente, pois quando começamos, anos atrás com essas coisas, começamos procurando o que funcionava. Bom, não somente em terapia, mas em todos os aspectos da comunicação. Comecei um processo de construção de um modelo baseado em como os vendedores, empresários, professores e terapeutas mais bem-sucedidos se comunicavam.

O interessante era que mesmo que operassem em áreas muito diferentes, todos os melhores comunicadores tinham inúmeras coisas em comum. Todos tinham uma habilidade poderosa de criar rapport com as outras pessoas. Eles eram capazes de se comunicar com clareza, especificidade e persuasão. Sabiam quais perguntas fazer e como fazer as pessoas se sentirem bem de verdade.

> A surpresa que lhes prometi mais cedo é a seguinte: pedirei ao Alan para subir aqui e lhes ensinar algumas habilidades básicas de rapport e o que chamamos de *sistemas representacionais*. Alan é um de meus melhores treinadores, então, por favor, deem a ele uma grande salva de palmas. Eu volto depois.

Joe se juntou aos aplausos enquanto Alan subia ao palco. Estava curioso para ver como ele seria como treinador. E Joe sorriu para ele. *Pode ser que ele precise de um rosto amigável*, pensou.

Quando Alan chegou ao palco e apertou a mão de Richard, ele pareceu mais confiante do que nunca. Enquanto Richard deixava o palco, Alan o agradeceu e começou imediatamente.

> Boa tarde a todos. Espero que estejam bem alimentados e prontos para um tarde empolgante. Até agora vocês aprenderam como a PNL pode ajudá-los a mudar o modo como se sentem. Agora vamos nos concentrar em como vocês podem melhorar o modo como se comunicam com os outros.
>
> Quando comecei, alguns anos atrás, bem, digamos que eu não era o melhor comunicador do mundo. Sempre ficava nervoso perto dos outros e raramente gerava algum impacto. Eu deixava as oportunidades passarem. Achava difícil me conectar com as pessoas que eu conhecia, até encontrar diversas habilidades e ferramentas muito úteis em um curso de PNL.

Foi difícil para Joe acreditar que Alan já havia tido problemas de confiança. Fascinado, ele observava enquanto Alan continuava falando.

A melhor coisa que já aprendi com a PNL foi que eu tinha a capacidade de influenciar quão bem eu me daria com as outras pessoas. Percebi que podia realmente me tornar uma pessoa mais querida, e esse insight mudou minha vida.

Enfim, vamos começar com a construção de rapport com o outro. Rapport é um tipo de conexão que você cria com os outros – onde duas pessoas, por exemplo, se sentem como se entendessem bem um ao outro e tivessem muito em comum. Quando duas pessoas se dão muito bem juntas, dizemos que elas estão "em rapport".

Agora, construir rapport é um processo natural. Acontece o tempo todo, e todos fazemos isso em algum nível. Chame como quiser – rapport, empatia, ser perceptivo, sintonizar-se –, a conclusão é a de que todos fazemos isso.

Por que estou dizendo isso a vocês? Porque é tão natural que acabamos considerando-o como uma habilidade nata. Vocês se lembram do que as pessoas pensavam de Virginia Satir? Que ela era milagreira. Que seus resultados não eram por causa do que ela fazia, mas por quem ela era. Felizmente, alguém foi capaz de ver além daquilo, desvendar os padrões de comunicação e pensamento por trás de seu comportamento e modelá-los de modo que essas habilidades pudessem ser ensinadas e aprendidas.

Como vocês sabem, a PNL tem muito a ver com prestar atenção ao que está acontecendo a sua volta. O que Richard e seus colegas perceberam foi que quando duas pessoas se dão muito bem, elas tendem a equipar seus padrões de comunicação em todos os níveis, verbais e não verbais. As implicações disso foram empolgantes. Eles descobriram que, ao copiar deliberadamente o padrão de comunicação de outra pessoa, era possível criar um senso de profunda conexão com ela.

Agora, perceba que não estou falando sobre imitar. Se você espelhar cada um dos movimentos de uma pessoa, ela logo terá vontade de dar-lhe um soco na cara. "Acompanhar" significa adaptar sutil e gradualmente partes de sua comunicação a fim de se alinhar mais com a da outra pessoa. Como acabei de dizer, isso não se trata apenas de comunicação verbal. O tom de sua voz ou a velocidade e o ritmo de seu discurso também são importantes. Outra coisa essencial para estabelecer um rapport é sua postura, incluindo movimentos de cabeça, gestos, cruzar e descruzar os braços ou pernas e assim por diante.

Ansioso para ver isso com os próprios olhos, Joe observou a sala do seminário. Obviamente, ele encontrou diversos exemplos de pessoas sentadas exatamente na mesma posição. Por exemplo, Teresa e Emily: as duas estavam inclinadas para a frente com o queixo apoiado nas mãos e a cabeça levemente inclinada para um lado.

Na verdade, uma das melhores coisas a se copiar é a respiração do outro. Se você conseguir respirar no mesmo ritmo que o outro, isso pode ser um jeito poderoso de se conectarem. Quanto mais isso ficar fora de nossa percepção, melhor. Na realidade, o objetivo maior é tornar esse processo inconsciente até mesmo para você – da mesma forma que andar ou dirigir um carro. É importante que isso seja um programa que rode em segundo plano, de modo que você possa se concentrar em outra coisa. E isso só vai acontecer com a prática dessas habilidades.

Quando ficar bom nisso, poderá começar a guiar a outra pessoa no sentido de se sentir e se comportar da mesma forma que você. Isso se chama *acompanhamento e liderança*. Então, se estiver conversando com alguém que lhe pareça distante e fechado, quando você acompanhá-lo e gradualmente começar a alterar sua linguagem corporal para se tornar mais aberto, ele irá acompanhá-lo com sua própria linguagem corporal. É igual...

Alan inspirou bem fundo e então expirou lentamente pela boca. Depois parou por alguns segundos.

Joe não pôde deixar de notar que ele mesmo havia feito a mesma coisa.

Quando Alan perguntou quantos na plateia haviam inspirado mais fundo, quase todas as mãos se levantaram, e seu rosto se iluminou com um largo sorriso enquanto voltava a falar.

É disso que estou falando! Viram como aconteceu naturalmente?

Bom, Richard me pediu para mostrar a vocês os pequenos detalhes de algo que ele disse mais cedo: rapport não se trata apenas de seu corpo ou tom de voz, tem a ver também com a linguagem que você usa com os outros. Em especial, quando as pessoas se comunicam com você, elas revelam como estão representando o mundo pelas palavras que usam.

Então vamos recuar um pouco para ver melhor. Até agora vocês provavelmente começaram a reconhecer como seu cérebro mapeia a realidade. Nós temos cinco sentidos que usamos para captar informações do mundo e, logo, faz sentido que usemos os cinco sentidos para representar essas informações para nós mesmos. Isso se resume basicamente a imagens, sons e sentimentos internos, tendo os outros sentidos – olfato e paladar – um alcance mais limitado. Na PNL, essas modalidades são mais conhecidas como sistemas representacionais.

Richard já lhes deu um belo exemplo de como Virginia Satir trabalhava com esses sistemas representacionais e já lhes mostrou como controlar essas representações mudando suas submodalidades – ou seja, a qualidade da representação. O que estou dizendo aqui é que, apesar de todos os seres humanos experimentarem o mundo através dos mesmos cinco sentidos, nem todos têm consciência da realidade da mesma forma. Alguns de nós preferem pensar em termos de imagens visuais; outros têm uma tendência a ouvir sons e palavras; e também há aqueles que se apegam principalmente a vibrações corporais para entender o mundo. Agora, isso não significa que somos tal "tipo" de pessoa, mas nos permite saber como uma pessoa está pensando em um contexto específico.

Os pensamentos de Joe fluíram até seu relacionamento com sua namorada. *Ela parece realmente se "concentrar" muito mais nos aspectos visuais*, pensou ele. *É incrível que eu nunca tenha percebido isso antes de ouvir a respeito desses sistemas representacionais.*

Agora, se você sabe o que procurar e o que ouvir, está um passo mais próximo de entender como as pessoas representam o mundo para si mesmas, e isso, em contrapartida, ajuda você a construir rapport em um nível muito mais profundo.

Quando as pessoas falam conosco, elas usam uma linguagem relacionada aos sentidos, e as palavras sensoriais que elas usam são pistas que deixam na linguagem sobre como estão pensando. Por exemplo, algumas pessoas tendem a usar frases como "o jeito como isso me *parece*", "eu *vejo* isso de modo diferente" ou "na minha *visão*". Outras costumam usar "*ouvi* o que você está *dizendo*", "isso *soa* muito bem" ou "o que vocês está me *dizendo ressoa*". E, por fim, existem pessoas que dizem "*sinto* que está certo", "eu entendo e quero ajudá-lo a *pegar* isso" ou "isso se *ajusta* bem para mim".

Joe estava escrevendo rapidamente, incluindo esses exemplos aos que Richard havia dado de manhã quando falou sobre Virginia Satir trabalhando com casais.

Ao ouvir como uma pessoa fala, você pode identificar como ela está pensando, e isso o ajudará a saber como se comunicar com ela. Quando ela usa palavras visuais, *observe* como *mostrar* a ela uma *imagem clara*. Quando ela usa expressões auditivas, *sintonize* e se permita ser *ouvido em alto e bom som*. Quando ela usar palavras de tato, *agarre* a chance de lhe fornecer entendimento *sólido*. Isso a ajudará a sentir que você está realmente falando a mesma língua que ela.

Então, alguém pode me descrever uma experiência de férias recente?

Joe ouviu a voz de Edgar. "Claro. Estive em Roma recentemente. Foi maravilhoso. Que lugar lindo! Algumas das estruturas são tão grandes, mas ainda possuem um visual tão clássico! Foi fantástico passear pelos pontos turísticos e passar um tempo observando as pessoas cuidarem de suas vidas. Foi muito divertido. Isso me mostrou que aquela é uma das cidades mais lindas que existem."

Alan interrompeu:

> Isto parece maravilhoso. Diga-me, como foi falar com as pessoas?

Edgar pareceu um pouco confuso e desconcertado. "Hum, foi... tipo, legal, eu acho. Elas gesticulavam tanto que eu me distraía!"

Parte da plateia começou a rir baixinho. Alan continuou:

> Ótimo! Alguns de vocês perceberam o que aconteceu aqui. Edgar estava descrevendo as coisas de forma muito visual. Quando perguntei a ele sobre sua experiência auditiva, foi difícil para ele se conectar com isso. Tem algum outro voluntário para me descrever as férias?

Uma mulher na primeira fileira falou: "Eu estive na Índia, mas não pensei nesses sistemas representacionais."

Alan sorriu e disse:

> Todo mundo pensa em algum nível. Mas vamos ouvir sua descrição mesmo assim.

"Bem", começou ela, "eu estive na Índia mês passado, e o que mais gostei foi de realmente me conectar com o lugar. Foi uma sensação tão gostosa estar ali! Era quente e úmido de vez em quando, mas senti tanto contentamento ali!".

Alan interveio:

> Uau, então você realmente se envolveu na cultura? Como se conectou com as pessoas dali? Você se sentiu confortável?

Sem hesitar, a mulher se entusiasmou: "Ah, sim! Foi muito tocante. Senti tanto acolhimento, como se fosse minha casa. Eu realmente captei a noção de que a Índia é, na verdade, um país amoroso com um coração enorme. Fiquei muito confortável lá."

Novamente, parte da plateia riu. Joe entendeu por quê: desta vez, Alan havia equiparado o sistema representacional que a mulher estava usando. Como ela falava com palavras de "sentimento", ele respondeu da mesma forma, e isso ajudou a dar continuidade à conversa.

Alan continuou com sua explicação.

> Quando você equipara o sistema representacional que alguém usa, isso faz a pessoa se sentir em rapport com você. Quando você o "desalinha", ela não se sente tão bem – como vocês viram –, pois não está ouvindo algo com que se identifica.

Joe percebeu que Alan havia usado todos os três sistemas representacionais na última frase, e o que ele disse em seguida explicou o porquê:

> Agora, se você estiver falando para um grande público – como este – e quiser se alinhar com seus sistemas representacionais, você precisa usar todos eles. Isso trará dois efeitos positivos: ajudará a estabelecer rapport e dará a seu público uma experiência sensorial completa.
>
> Mas chega de falar. É hora de uma experiência direta!

Vamos começar com um exercício. Quero que se juntem em duplas. A pessoa A falará com a pessoa B, e a pessoa B começará a se diferenciar da linguagem corporal da pessoa A enquanto a ouve.

Mais além, a pessoa B responderá a algumas coisas que a pessoa A disser, mas o fará em um ritmo diferente de fala e usará um sistema representacional diferente da pessoa A.

Enquanto isso, a pessoa A pensará em sua experiência e como ela se sente a respeito da pessoa B. Depois, ainda será a pessoa A falando com a pessoa B, mas desta vez a pessoa B irá sutilmente – *sutilmente* mesmo – acompanhar sua linguagem corporal, tom de voz, velocidade de fala e sistema representacional.

Novamente, a pessoa A pensará sobre sua experiência.

Então vocês trocarão.

Vejo vocês de novo em 15 minutos.

Quando Joe olhou em volta em busca de um parceiro, ele cruzou o olhar de uma mulher atraente na casa dos 30 anos. Decidiram fazer o exercício juntos, e ela lhe disse que seu nome era Caroline e que era atriz.

"Olá, Caroline. Eu sou o Joe. O que a traz aqui?"

"Bem, na verdade, o ano passado foi muito difícil para mim, pois descobri que tinha câncer de mama. Passar por aquilo me fez repensar o que estava fazendo com minha vida. Agora que estou muito melhor e retomei minha vida, meu sonho é tornar-me atriz profissional. Ao longo do caminho, tenho lido livros de desenvolvimento pessoal e autoajuda, e foi aí que descobri a PNL."

"Uau, isso é incrível! Parabéns por superar tudo isso!"

"Obrigada, Joe. Foi uma longa jornada de dor, mas também de autodescoberta. Agora meu foco é tornar meu sonho realidade, trabalhando de dia e fazendo aulas à noite para me preparar para os testes. Ei, sabe qual a pergunta mais comum que ouço como aspirante a atriz?"

"Não. Qual?"

"Pode me trazer um expresso e um muffin, por favor?"

Joe riu. "Então você trabalha em um café?"

"No momento, sim. Mas só até conseguir minha chance!"

"Legal! Então, você quer ir primeiro e eu faço a experiência com você?", perguntou Joe.

"Por favor", respondeu ela.

Joe começou observando a linguagem corporal de Caroline enquanto ela falava sobre as coisas que a interessavam, e então ele agia de forma diferente. Quando ela cruzava as pernas, ele abria as suas. Quando ela se inclinava na direção dele, ele se reclinava. Foi muito divertido, e ele pôde vê-la ficando cada vez mais incomodada. Enquanto ele a ouvia falar, percebeu que ela falava do modo como *via* as coisas e sobre seu *foco*, então ele começou a usar palavras de sentimento com ela: "Eu *sinto* que isso é importante para você" e "Estou começando a *entender* o que você está *sentindo*". Isso a fez parecer ainda mais irritada, e Joe estava se divertindo muito.

Demorou menos de cinco minutos para Caroline perder a paciência e dizer: "Joe, se não parar com isso agora, vou dar um soco em você. Bem forte!"

Joe não conseguiu segurar o riso, mas ainda assim se desculpou. *Uau*, pensou ele, *ela se zanga facilmente.*

Então eles foram para a segunda parte do exercício. Enquanto Joe equiparava a linguagem corporal e os sistemas representacionais de Caroline, ele percebeu que ela sorria mais e parecia muito mais confortável na conversa.

Logo foi hora de trocarem os papéis, e quando Joe ficou do outro lado da mesa do desalinhamento, percebeu o quanto aquilo era incômodo. *Talvez ela não fosse uma chorona afinal*, admitiu ele a si mesmo.

Caroline podia ver seu desconforto crescendo e começou a sorrir. "Ha! Não é tão bom sentir isso na pele, né? Nossa, isso é divertido!"

"Ok, ok. Agora é sua vez de me *acompanhar*", respondeu Joe rapidamente.

"Ui! Essa é a parte chata", disse Caroline com um sorriso.

Foi muito divertido praticar acompanhamento e diferenciação. Joe decidiu que, assim que voltasse para casa, ele colocaria em prática com sua namorada as habilidades de acompanhamento que acabara de aprender.

Alan logo voltou ao palco.

Alguma pergunta sobre o exercício?

Ele parou e observou a plateia. Vendo que não havia rostos confusos ou mãos levantadas, ele continuou, com um sorriso:

Parece que vocês se divertiram com esse negócio de diferenciação.

Alguns dos participantes olharam uns aos outros de cima a baixo e riram.

Agora, antes que eu prossiga para o próximo tópico, gostaria de fazer uma breve digressão que tem a ver com as técnicas e os modelos que estamos aprendendo. Ao longo dos anos, foram inventadas inúmeras técnicas, então hoje *veremos* apenas uma pequena prévia e *ouviremos* acerca dos conceitos básicos para *absorver tudo*. Antes de mais nada, a PNL é uma postura, e, nesse quesito, Richard é mestre.

Certo, é obviamente bom que na maioria de suas comunicações você se dê muito bem com a outra pessoa, então a construção de rapport e o uso de sistemas representacionais são de grande importância. Outra coisa vital para se tornar um comunicador eficaz é o sistema conhecido como *metamodelo*.

O metamodelo foi um dos primeiros modelos desenvolvidos por Richard, com John Grinder, no começo de tudo. Ele veio da percepção do modo como os terapeutas mais bem-sucedidos, como Virginia Satir, faziam perguntas a seus clientes para ajudá-los a melhorar a vida.

O metamodelo tem três funções principais: especificar informações, esclarecer informações e ajudar uma pessoa a abrir seu modelo para o mundo.

No flipchart do lado direito do palco, Alan escreveu:

1. Especificar informações.
2. Esclarecer informações.

3. Abrir o modelo de uma pessoa para o mundo.

Por "modelo", quero dizer mapa do mundo. Isso soa familiar?

"O mapa não é o território", Joe ouviu vindo do outro lado da sala.

Exatamente. Sempre que nos comunicamos com os outros, estamos apresentando nossos mapas. Estamos excluindo, distorcendo e generalizando informações. Bem, às vezes isso é útil, pois significa que podemos ter conversas que não durem para sempre. Por exemplo, quando alguém lhe pergunta como você está, você pode responder que está bem. É uma palavra, então você está obviamente excluindo um monte de informações, mas isso serve para algo.

Quando mapeamos a realidade, excluímos, generalizamos e distorcemos as informações que recebemos de nossos sentidos. Então, quando descrevemos esse mapa com palavras – seja para nós mesmos ou para os outros –, fazemos isso novamente: excluímos, generalizamos e distorcemos o mapa.

Quando falo sobre especificar e esclarecer informações, o que quero dizer é, para lhes dar um exemplo: você chega em casa do trabalho e seu parceiro conta que aconteceu um acidente. O que isso significa? Ele queimou o jantar? Ele quebrou seu vaso favorito? Bateu seu carro? Alguém – Deus o livre! – se feriu gravemente? É claro que você pode dar um tiro no escuro – acontece com mais frequência do que você imagina – ou pode pedir mais detalhes. O metamodelo o ajuda a fazer as perguntas certas, especialmente quando o processo de excluir, generalizar e distorcer fica menos evidente. Veremos especificamente como mais tarde.

Outro exemplo seria ouvir alguém dizendo "eu não sou uma pessoa sociável".

Quando Alan olhou em sua direção, Joe ficou muito vermelho, sabendo que ele estava se referindo à conversa que tiveram naquela manhã.

Uma boa pergunta é: "O que você quer dizer com 'pessoa sociável'?" Geralmente, a pessoa diz algo como: "Bem, não me sinto confiante falando com os outros." Isso já leva a atenção de algo que ela *é* para algo que ela *faz* – o que é mais fácil de solucionar.

Você pode continuar perguntando: "Existe alguém específico com quem você não sinta confiança em falar?" Com isso, você permite que a pessoa reduza a questão e encontre eventos específicos por trás de uma crença muito generalizada. Agora você está um passo mais próximo de descobrir o território real.

Vejam, quanto mais você vasculha e identifica um problema específico, mais fácil é para ajudar a pessoa a encontrar uma solução.

Joe não podia evitar responder às perguntas que ele sabia que estavam sendo implicitamente dirigidas a ele. O que ele quis dizer com não ser uma pessoa sociável? Existia alguém específico com quem ele se sentia inseguro em conversar? O que estava por trás daquilo?

Enquanto ele pensava nessas perguntas, Alan continuava falando:

O uso menos óbvio do metamodelo, e provavelmente o mais importante, é ajudar a pessoa a enriquecer seu mapa do mundo.

É isso que pessoas como Virginia Satir entenderam e é isso que modelamos a partir dela. O que vou lhes dar agora é um conjunto de perguntas que lhes permitirá fazer o mesmo.

Mas primeiro vamos ver um exemplo de como vocês poderiam expandir e enriquecer o mapa do mundo de uma pessoa. Se alguém diz "Todos me odeiam", isso é uma generalização. E não costuma ser precisa: a grande maioria da população mundial, na verdade, sequer saberá da existência daquela pessoa e, caso saiba, provavelmente não se dará ao trabalho de formar uma opinião a respeito dela.

Então, você pode desafiar tal generalização questionando o termo "todo mundo". Quando você chega à raiz do problema e descobre a quem ele se refere, consegue pegar o problema que era imenso e o tornar mais gerenciável. Você pode então trabalhar nele um pouco mais perguntando como ele sabe que aquela pessoa o odeia, que episódio específico o levou a essa conclusão, se esse episódio poderia ser visto de outra forma e assim por diante. Quanto mais você questiona a crença usando o metamodelo, maior a probabilidade de você semear a dúvida na crença. E isso cria espaço para que a pessoa transforme tal crença em outra mais útil e versátil.

É claro que você pode começar questionando o que você mesmo exclui, generaliza e distorce.

Joe estava intrigado. Aquele metamodelo parecia ser uma ferramenta realmente poderosa para a comunicação. Também lhe ocorreu que seria perfeita para mudar algumas de suas crenças limitantes.

Quanto mais próximo você consegue chegar da experiência sensorial, mais útil isso é. Então, como regra, tente descrever o que você viu, ouviu e sentiu. Ser específico e se atentar aos sentidos é uma excelente forma de incluir detalhes no mapa.

Vamos falar sobre as perguntas que são especialmente úteis em qualquer contexto. Elas funcionam em negociações comerciais ou quando você quer se conectar com seu filho adolescente. Essas são perguntas que ensino a todos: pessoas em um relacionamento, psicólogos, gerentes, professores, vendedores – o que você quiser.

Às vezes, você usará essas perguntas para esclarecer o que a pessoa está falando. Digamos que você tenha contratado alguém para dar um seminário de gerenciamento de estresse em sua empresa, presumindo que você soubesse do que poderia se tratar. E se o treinador chegasse vestindo um robe amarelo, começasse a acender velas aromatizadas e pedisse para você e seus colegas se conectarem com seus guias animais, tocar tambores e correr pelados pelos corredores? Vocês todos o achariam louco, certo?

A plateia riu.

Mas isso é porque você não esclareceu o que aquele treinador em particular queria dizer com o termo "gerenciamento de estresse". O motivo de tanta confusão e desentendimento no trabalho, e na vida, se deve ao fato de as pessoas não esclarecerem o que a outra quis dizer. No trabalho também é importante que, quando você contratar alguém, entenda especificamente o que essa pessoa fará por você, *como* e *quando*. Essas perguntas lhe permitem garantir que a situação seja compreendida igualmente por todas as partes.

Joe sorriu sozinho. Ele se lembrou de diversas reuniões em que foram ditas palavras difíceis e acrônimos. Naquelas ocasiões, ele ficou sem entender o que aquilo tudo significava e passou a reunião toda sem saber o que estava acontecendo. Mais tarde ele descobriu que a maioria das outras pessoas também não sabia, e teve a sensação de que aquilo era muito comum no mundo corporativo. Essas perguntas de metamodelo lhe concederiam uma oportunidade real de entender seus colegas com maior facilidade.

E Alan estava prosseguindo.

Consigo ver alguns de vocês começando a prestar mais atenção ao flipchart vazio do que ao que estou dizendo, então vamos continuar.

E assim, ele virou o flipchart para uma página nova e escreveu:

COMO? O QUÊ? QUANDO? ONDE?
ESPECIFICAMENTE QUEM?

Estas perguntas não ajudam apenas a transpor as generalizações das pessoas e chegar ao que elas realmente querem dizer, mas também a conseguir mais informações sobre o que exatamente elas estão fazendo em suas mentes. Por exemplo, quando alguém diz "Eu simplesmente estou achando tudo difícil no momento", você pode perguntar "Achando exatamente o que difícil?" ou "Como especificamente você está achando isso difícil?". Isso permite que o outro defina para você o problema exato e como aquilo é um problema para ele, o que leva muito rapidamente ao centro do problema. Você pode usar essas perguntas específicas para obter um entendimento real do que está acontecendo.

QUEM DISSE? SEGUNDO QUEM?

Essa pergunta, seja como for que você a coloque, é um jeito poderoso de transformar em opinião o que foi posto como fato. As pessoas costumam dar voz às suas crenças e as colocam como citações reais. Quando você pergunta "Quem disse?", a resposta dada reposiciona a citação como uma opinião, ao invés de um fato. Óbvio que uma opinião é só uma opinião e não necessariamente algo real. Por exemplo, se alguém disser "As pessoas não gostam de mim", e você fizer essa pergunta, então esse alguém terá que assumir a crença. É muito comum que a frase se torne "Eu acredito que as pessoas não gostem de mim". No momento em que você reformula a frase como uma opinião, facilita o acontecimento da mudança.

Isso fez muito sentido para Joe. Ele teve de admitir que costumava fazer declarações como se fossem absolutamente reais, quando, na verdade, eram apenas o que ele estava sentindo no momento. Até mesmo aquela coisa de ser uma pessoa sociável caiu nessa categoria!

Alan continuou escrevendo no flipchart:

TODOS? SEMPRE? NUNCA? NINGUÉM? NADA? TUDO? NEM UMA PESSOA?

Outra categoria que vimos no exemplo que dei antes e que vocês encontram é a supergeneralização. Preste atenção em palavras como "sempre", "nunca" e "todos". Ao ouvir essas palavras, você pode desafiar a declaração simplesmente repetindo a palavra. "Sempre?", "Todos?", "Nunca?".

O QUE VOCÊ QUER DIZER COM ISSO?

Apesar de essa pergunta ser incrivelmente útil para esclarecer o que uma pessoa está pensando, ela também pode ser usada para desafiar a crença de uma pessoa quando ela fala sobre conceitos mais abstratos. Por exemplo, as pessoas costumam falar sobre o fato de "terem" depressão ou que o pânico as "persegue" por todos os lugares. Distorções como essas são muito comuns, pois as pessoas sentem que é isso que está acontecendo. Quando você pede para elas esclarecerem o que querem dizer, costumam reformular o problema em termos mais orientados por processos – elas podem dizer que se "sentem" deprimidas ou que "entram em pânico". Se elas apresentarem o problema como algo que fazem, então têm a capacidade de fazer algo diferente, em vez daquilo.

COMPARADO A QUEM? COMPARADO A QUÊ?

Uma das coisas que as pessoas costumam fazer para se limitar é se avaliar em relação aos outros. Elas dizem coisas como "Eu não sou bom nisso", e quando você faz a pergunta "Comparado a quem?", isso as força a ver que elas estão fazendo uma comparação injusta que não é útil. Se você se sente mal por não ser bom em golfe e eu lhe perguntar "Comparado a quem?", é possível que você se compare a algum profissional. Quando você tiver que identificar isso, é mais fácil que entenda que é, na verdade, uma comparação injusta.

Muitas amigas minhas, por exemplo, se comparam às modelos mais bonitas e magras que veem nas revistas ou às garotas mais bonitas por quem passam na rua, e isso as faz se sentir mal.

Como seres humanos, costumamos nos concentrar em nossas falhas e nos comparar aos outros nessas áreas. A baixa autoestima é resultado de se sentir mal em comparação às outras pessoas. Ao desafiar tais comparações, conseguimos perceber que todos temos pontos fortes e pontos fracos, e, como somos todos únicos, a única comparação válida que realmente podemos fazer é quando nos comparamos com nosso eu do passado. Dessa forma, não precisamos nos sentir mal por quem somos.

Isso soou muito verdadeiro para Joe. No passado, ele sempre falava para si mesmo que não era bom, nem inteligente e, apesar de não dizer mais essas coisas com tanta frequência, ele ainda não se sentia bem em algumas situações sociais. Enquanto refletia sobre essa questão, ele percebeu que sempre se comparava às pessoas a seu redor.

COMO VOCÊ SABE?

Uma das crenças mais danosas é quando as pessoas se convencem de que sabem o que outra pessoa está pensando ou o que acontecerá no futuro. Elas podem pensar que alguém não gosta delas ou que algo acontecerá com elas e isso gerará muitos problemas.

Uma ótima pergunta que você pode usar para desafiar essas crenças é: "Como você sabe?" Isso força as pessoas a explicar como elas chegaram a tal conclusão. Quando tentam e conseguem, geralmente fica claro que elas baseiam suas crenças em pressupostos falsos.

Então, por exemplo, imagine que você creia que alguém não gosta de você e eu lhe pergunte: "Como você sabe?" A resposta que pode dar é que tal pessoa não o cumprimentou em uma festa. No entanto, pode haver diversas razões pelas quais ela não o cumprimentou. Isso muda efetivamente sua conclusão.

Eu posso lhe perguntar "Então, toda vez que alguém não o cumprimenta em uma festa é porque tal pessoa não gosta de você?".

Note que estou usando uma generalização – "toda vez" –, então, se você realmente respondesse "Sim", como eu o desafiaria?

"Toda vez?", respondeu alguém na plateia.

Exatamente! Parece que vocês estão pegando o jeito. Excelente!

Outro exemplo poderia ser caso alguém dissesse que jamais passaria no teste de direção. Novamente, se eu perguntasse "Como você sabe?", no máximo a pessoa apontaria para o que aconteceu no passado como prova do que poderia acontecer no futuro. Obviamente, o passado não é igual ao futuro, então novamente a crença seria desafiada.

"Como você sabe?" força a pessoa a examinar a lógica que ela usou para chegar àquela conclusão e lhe permite frisar as falhas inerentes a tal lógica.

O QUE O IMPEDE? O QUE ACONTECERIA SE VOCÊ PUDESSE?

Quando você ouve alguém dizer "Eu não posso..." ou "Eu não sou capaz de...", essas duas perguntas lhe permitem desafiar tais limites.

A pergunta "O que o impede?" o ajuda a descobrir quais obstáculos estão entre onde você está agora e onde você quer estar. Ela lhe permite identificar os desafios que você pensa que terá que enfrentar a fim de conseguir o que quer. Uma vez que esses desafios fiquem claros, será mais fácil saber o que fazer. Às vezes eles terão a ver com recursos ou algum conhecimento específico que você precisa adquirir, enquanto em outros momentos terão a ver com crenças que você pode precisar mudar para ter sucesso.

A pergunta "O que aconteceria se você pudesse?" o faz imaginar a si mesmo vencendo todos os obstáculos e alcançando o resultado. Isso lhe dá uma sensação de que é, de fato, possível. Usadas em conjunto, essas perguntas são muito poderosas.

Por exemplo, trabalhei com uma professora que me disse que não conseguia se conectar com seus alunos. Quando eu perguntei "O que a impede?", ela me disse que eles não a ouviam, ela não tinha seu respeito e eles usavam o celular na sala de aula. Perguntei a ela se resolver esses três problemas garantiria que ela pudesse se conectar com seus alunos, e ela concordou que sim. Então ela tinha três coisas que sabia que podia fazer. Para ajudar ainda mais, perguntei a ela: "O que aconteceria se você conseguisse se conectar com seus alunos?" Ela se ajeitou na cadeira imediatamente e explicou como ficaria feliz e que ela os veria melhorando e gostando das aulas. Isso fez uma diferença notável em sua postura em relação a algo que a fazia sentir-se impotente por tanto tempo.

O QUE ACONTECERIA SE VOCÊ FIZESSE? O QUE ACONTECERIA SE VOCÊ NÃO FIZESSE?

Por fim, quando é necessário tomar decisões, essas duas perguntas podem ajudar muito ao abrir um mundo de possíveis resultados. Quando alguém pensa que precisa ou deveria fazer algo, costuma ficar travado por crenças sobre o que aconteceria ou não caso fizesse ou não fizesse aquela coisa. Exponha abertamente essas crenças, pois geralmente elas são o real problema, e desafiá-las ajudará a pessoa a tomar a melhor decisão.

Por exemplo, eu tinha uma cliente que sentia como se "tivesse" que manter o emprego, apesar de odiá-lo. Eu lhe fiz essas perguntas, e ela se permitiu explorar partes de seu mapa que, ainda que fora de sua consciência, exerciam muita pressão sobre ela. Então, foi capaz de rever suas opções com maior compreensão e paz de espírito e achou mais fácil descobrir algo de que realmente gostava.

Joe olhou para o flipchart. Essas coisas realmente faziam sentido. Ele estava encantado. Havia tantas perguntas que ele poderia usar para melhorar tanto seu pensamento quanto sua comunicação! Ele colocou um enorme ponto de exclamação ao lado das perguntas que havia copiado em seu diário.

Alan continuou:

> As perguntas que escrevi são apenas algumas daquelas que vocês podem usar para especificar e esclarecer informações, bem como ajudar as pessoas a mudar suas crenças e percepções e a abrir seus modelos para o mundo. E, como vocês percebem, elas são todas muito simples, muito coloquiais. Não se trata de fazer perguntas difíceis que ninguém entenderia, mas, sim, de propor a pergunta certa no momento certo. E tal habilidade, é claro, exige prática, então... hora de tentarem sozinhos!
>
> O que eu quero que façam agora é formar pares, e cada um de vocês trabalhará, um de cada vez, em um problema da outra pessoa. Quando usarem essas perguntas, vão se descobrir chegando ao coração do problema muito rapidamente, e isso os ajudará a mudar o modo como pensam sobre as coisas.
>
> Um conselho: essas perguntas são muito pessoais e diretas. Lembrem-se sempre de estabelecer e manter rapport, ou então a única resposta que obterão será uma olhada feia. Entendido?
>
> Ok. Agora vão e façam o exercício, e sejam legais uns com os outros. Richard os verá aqui em 30 minutos e dividirá com vocês seus insights pessoais sobre linguagem.

Joe e Emily se olharam e decidiram trabalhar juntos.

"Ok! Então, como posso ajudá-la hoje, Emily?", começou Joe com um sorriso.

Emily hesitou por um longo tempo antes de responder: "Há algo que me faz mal, mas não sei o que fazer a respeito. Não posso contar a ninguém, mas está arruinando minha vida."

Aquilo parecia sério! Joe não sabia por onde começar. Ele se perguntou como aquele problema poderia estar arruinando toda a vida de Emily e decidiu usar a pergunta que desafiava sua generalização: "O que você quer dizer com 'arruinando sua vida'? Todas as partes da sua vida estão conectadas a esse problema? Toda a sua vida está em risco por causa dele? Isso também vai afetar sua saúde?"

"Não... Quer dizer, é só difícil demais para mim. Não posso contar a ninguém."

"Bem, o que aconteceria se você pudesse mudar as coisas?"

Emily pensou na pergunta. "Bem, acho que eu ia... Ia me sentir melhor... e as coisas ficariam bem."

Joe queria perguntar *qual* era o problema, mas percebeu que Emily não estava em um bom estado e que ele precisava construir mais rapport com ela e deixá-la mais confortável primeiro. Então ele começou a respirar no mesmo ritmo que ela e, em um tom mais suave, acompanhou os termos auditivos que ela havia usado.

"Está tudo bem, Emily. Se você decidir não me contar nada, não tem problema. Mas se você não se importar, posso tentar mais algumas perguntas? Nunca se sabe. Pode ser que eu ajude."

Emily sorriu, sentindo-se bem mais leve. "Ok, Joe. Apesar de eu não ter certeza de que isso possa fazer tanta diferença. Talvez possamos tentar e ver aonde conseguimos chegar."

Joe percebeu que desta vez ela usara a palavra "ver" e decidiu acompanhar sua preferência visual.

"Ótimo! Ok, então. Vejamos se juntos conseguimos chegar a uma nova perspectiva nesse problema. O que a impede de contar às pessoas, Emily?"

Emily parou, franziu a testa e segurou a respiração. "Sinto como se fosse decepcioná-las."

Joe percebeu que ela estava sendo vaga e não especificava quem eram "elas". Ele queria mais clareza.

"Você acha que poderia decepcioná-las? Decepcionar a quem especificamente?"

Emily olhou para Teresa e então olhou de volta para Joe.

Joe notou aquilo. "É Teresa, Emily? Você tem medo de contar à sua mãe?"

Emily olhou para ele, apreensiva, e concordou lentamente.

Joe percebeu que Emily pensava que já sabia como Teresa reagiria, e decidiu desafiar essa suposição.

"Como você sabe que Teresa ficará desapontada, Emily?"

"Eu só... bem, só estou preocupada..."

"Você está preocupada. Você acha que sua mãe a ama, Emily?"

Emily concordou com um movimento de cabeça.

"Você acha mesmo que ela vai ficar decepcionada com você ou acha que talvez ela possa entender?"

"Eu não quero desapontá-la. Se ela souber que eu... bem, que eu não sei me defender... Tem uma valentona na escola, e ela... ela inferniza minha vida."

Emily começou a lacrimejar enquanto olhava atentamente para Joe, esperando sua reação.

Joe parou um pouco, incerto sobre como prosseguir. Ele queria ajudar Emily a ver que havia mais opções e que sua mãe poderia ser parte da solução, não do problema. Então ele se lembrou de uma pergunta que poderia ajudar: "O que aconteceria se você desse à sua mãe a possibilidade de saber que sua filha precisa de ajuda?"

Enquanto ele falava, ocorreu a Joe que o problema que Emily estava enfrentando era muito parecido com o que Teresa lhe havia contado mais cedo. Pareceu a ele que mãe e filha estavam lutando com problemas parecidos. Enquanto Emily sofria bullying, Teresa achava difícil lidar com pessoas agressivas.

Joe tinha certeza de que as perguntas de metamodelo estavam realmente ajudando Emily a resolver as coisas, mas ele ainda não tinha terminado. Havia mais uma coisa que queria explorar.

"Emily, você disse que essa valentona inferniza sua vida. O que você quer dizer com isso?"

Emily parou e disse: "Bem, ela me provoca na frente de todo mundo, grita comigo e me xinga. Eu sou uma idiota."

Joe percebeu que Emily não estava colhendo informações de uma fonte confiável.

"Quem disse?", perguntou ele.

"A valentona", respondeu ela.

"Idiota comparada a quem, Emily? Comparada à valentona?"

Um sorrisinho percorreu o rosto de Emily. "Bem, não. Na verdade, a valentona é bem mais idiota do que eu." E ela riu.

Joe sorriu de volta. "Então, será que você é mesmo idiota, sendo que quem diz é ela?"

Emily olhou para cima e balançou a cabeça.

"Da próxima vez que essa valentona aparecer", continuou Joe, "sinta pena dela. Provavelmente está atacando você porque sabe que ela é a idiota".

No final de sua conversa, Emily se sentiu muito melhor acerca de seu problema e decidiu que era hora de se abrir com sua mãe sobre o que estava acontecendo. Ela secou os olhos e sorriu para Joe. Parecia que um peso enorme havia sido tirado de suas costas.

Por sua vez, Joe ficou eufórico com o poder de algumas perguntas em ajudar uma pessoa a ver as coisas de uma perspectiva diferente. Ele decidiu passar algum tempo estudando o metamodelo e entender como poderia aplicá-lo em sua vida pessoal e profissional.

Depois foi a vez de Emily praticar as perguntas do metamodelo com Joe.

"Então, Joe, posso demorar um pouco questionando-o, tudo bem? Temos um ditado antigo que diz: *se você não conhece o caminho, ande devagar.*"

Joe sorriu enquanto concordava, imaginando Emily segurando uma caneca de Guinness.

"Então, enfim, o que está acontecendo com você, Joe?"

Ele suspirou. Era a vez de ele falar sobre o que realmente o incomodava.

"Eu sou um desastre quando se trata de ser um bom namorado."

"O que você quer dizer com 'desastre'?", perguntou Emily.

"Bem, porque eu a deixo louca."

"Sempre?", continuou Emily.

"Não. Sempre não."

"Hum, vejamos", disse Emily olhando para o flipchart. "Como você a deixa louca, especificamente?"

"Eu... bem, eu não sei. Quando ela fica brava, eu sempre falo a coisa errada."

"Ahá – *boca fechada, mente sábia.*"

"Quê?"

"Ah, esquece. Estou brincando." E Emily continuou: "Então você diz *sempre* a coisa errada?"

"Bem, não... mas às vezes parece que eu não consigo dizer a coisa certa!"

"O que o impede de fazer isso?"

"Eu não sei. Parece que eu passo tempo demais perguntando a ela se aquilo tem algo a ver comigo."

Joe parou por alguns segundos e pensou sobre o que acabara de dizer. Aquele era um grande insight para ele e o fez perceber que ele realmente piorava as coisas ao fazer aquela pergunta e se concentrar nele mesmo.

Emily continuou: "Joe, o que aconteceria se, em vez de perguntar se tem a ver com você, você se concentrasse naquilo que ela precisa naquele momento?"

"Nesse caso, acho que eu realmente conseguiria ajudá-la."

"Como você pode fazer isso no futuro?"

Joe parou por um momento. "Sabe, existem muitas coisas que eu poderia fazer para que ela se sinta bem. Sinto-me tão melhor a respeito disso agora! Você realmente puxou à sua mãe, né? Isso foi incrível, Emily!"

Emily corou e sorriu largamente.

Naquele momento, Richard retornou ao palco e agradeceu a Alan.

Enquanto vocês estavam praticando a metamodelagem uns com outros, eu estava espiando pela sala e ouvindo alguns ótimos exemplos.

Sabe, as pessoas nem sempre fazem as perguntas mais úteis. Por exemplo, se alguém entrar aqui e disser "Estou deprimido", vocês provavelmente perguntarão "Por quê?". As pessoas que treinam comigo não fazem essa pergunta. E sabem por quê? Porque não queremos saber as respostas. Não nos importa por que a pessoa está deprimida e não nos importa como ela se deprime. Não é porque não temos empatia, mas porque isso nos permitiria apenas descobrir uma estratégia de como deprimir outras pessoas pelo mesmo motivo da mesma forma – e temos um objetivo totalmente diferente em mente.

Eu sempre digo a estas pessoas: "Como você sabe que está deprimida? Talvez você não esteja."

Elas sempre me olham e dizem: "Bem, tenho certeza de que estou deprimida."

"Você está deprimida enquanto dorme?"

"Oras... eu não sei."

Então eu explico: "Bem, então você provavelmente não está. Agora, existem outros momentos em que você não está deprimida?"

E elas geralmente pensam e dizem: "Bem, teve um momento em que eu fui feliz, mas quando penso a respeito agora... não tenho certeza."

O que significa que elas conseguem distorcer qualquer coisa do passado. O problema é que elas fazem a mesma coisa ao olhar para o futuro. Minha política é simples: a melhor coisa a respeito do passado é que ele passou.

Para mim, não é só seu problema que é um problema, mas, sim, o jeito como você pensa a respeito dele.

Virginia nunca perguntou às pessoas por que eram tímidas. Ela perguntava o que aconteceria se não fossem. Porque, sabe, perguntar o porquê só mantém as pessoas em seu próprio mapa, que é a razão pela qual elas estão estragadas. Em vez disso, uma pergunta como "O que aconteceria se você não fosse?" leva uma pessoa ao limite de seu mapa e a abre a novas possibilidades.

Virginia e Milton acreditavam que qualquer um poderia mudar. Eles nunca desistiam, assim como eu. O que acontece é que as pessoas têm todo o tipo de crença, e essas crenças são tão fortes e reais quanto qualquer outra coisa. É isso que não deixa as pessoas agirem de formas diferentes. A conclusão é: se você acredita de verdade que uma pessoa pode mudar, então pode fazer aquela pessoa se juntar a você em tal crença, e ela realmente tornará aquilo real.

Agora uma palavrinha sobre linguagem. Existem exemplos de mau uso da linguagem em todo o país. E vi um lugar outro dia com uma placa na porta que dizia: "Centro de Disfunção Sexual". Eu ando pelos Estados Unidos e penso: *Esse pessoal não sabe nada sobre como a linguagem funciona*. "Clínica da Dor em Uma Hora." Eu achei que já havia bastante dessas por aí.

Recebo cartões de visita de pessoas que se dizem "conselheiros alcoólatras" ou "especialistas médicos em dor crônica", e não acho que você precise ser um especialista para isso. Existe dor o bastante no mundo do jeito que está. Acho que você precisa ser especialista em fazer as pessoas se sentirem bem e ganharem controle. Pois, afinal, se você se cortar com papel e não doer até você ver o corte, então existem algumas coisas que não valem a pena conferir.

E uma palavra que eu odeio: "deficiente". Não sei vocês, mas eu acho muito negativa. Para mim, as pessoas que nascem com um cérebro que não aprende da mesma forma que o das outras pessoas não são deficientes. Elas são incomodadas, porque o que temos não é uma incapacidade de aprendizado, mas uma incapacidade de ensinamento. Sei que fui duro com os psicólogos. Sei que dei trabalho a alguns professores também, mas, sabem, não é culpa deles. Não é culpa dos professores se eles nunca aprenderam a melhor forma de ensinar às crianças. Eles estudam, mas ninguém lhes ensina nada sobre como ensinar. Então as pessoas não são deficientes, são apenas incomodadas. E elas são incomodadas apenas porque estruturamos o mundo de um certo modo.

A única ponta solta que vocês precisam amarrar agora é parar e perceber que o que vocês aprenderam neste workshop é confiar em si mesmos. Se vocês entrarem no estado certo, as respostas sobre como fazer as coisas lhes ocorrerão.

Vocês precisam apenas realmente ouvir as pessoas. Elas não falam apenas de forma metafórica. Se vocês as ouvirem de verdade, elas dirão exatamente o que vocês precisam saber.

Mas se vocês fizerem perguntas como "Por que você está mal?", elas lhes darão motivos, e isso não vai ajudá-las a ver fora de suas caixas. A beleza do metamodelo é que ele lhes dá um mapa para navegar além do território conhecido.

Agora, quando saírem daqui, existe algo que acontecerá com vocês. Vocês começarão a ouvir coisas que estavam ali o tempo todo. As pessoas começarão a lhes dizer coisas como: "Bem, sabe, eu só continuo dizendo a mim mesmo que isso não vai funcionar, e isso me torna um pessimista." E vocês olharão para elas e dirão: "Agora pegue a voz que lhe diz que isso não vai funcionar e a faça soar de forma não confiável." Ou a faça desafiar o que a voz diz através das perguntas do metamodelo.

Trata-se de entender como chegar aonde você quer ir e, mais importante, querer ir a algum lugar que valha a pena.

Eu não quero repetir meus 40 anos de história para que vocês cheguem próximos de onde eu cheguei. Quero que vocês pulem para o fim e sigam adiante. Isso faz muito mais sentido para mim. E se vocês estão se preocupando ou ficando ansiosos, quero que comecem a achar suas preocupações hilárias.

Liz, onde está você?

Liz levantou a mão.

Quero que pense sobre todos os seus problemas. Pense neles agora.

A plateia ficou em silêncio, e todos olharam para Liz, que começou a gargalhar.

> Viram, não é meramente algo que os faz sentir bem no momento – a mudança dura. Motivo de reflexão. Agora vamos fazer um breve intervalo e vejo vocês de volta em 20 minutos para a última parte deste seminário.

Joe foi dar uma volta do lado de fora, desfrutando da oportunidade de processar o que estava aprendendo. Havia muitas coisas sobre as quais pensar, e ele sabia que era muito importante aplicar o que estava aprendendo no mundo real.

Mais tarde, no caminho de volta à sala do seminário, ele trombou com Liz. "Parabéns por subir ao palco", disse ele.

"Obrigada." E Liz sorriu. "É incrível o quanto me sinto mais relaxada. Mal posso esperar para voltar para casa e para a sala de aula e começar a repensar tudo seriamente."

Joe riu.

Liz continuou: "Você está gostando do workshop?"

"Amando. Richard é um revolucionário, e esse negócio de metamodelo... É fascinante o quanto a linguagem pode ser poderosa."

Eles conversaram no caminho até a mesa do café, e Joe notou que Liz de fato parecia muito mais relaxada do que naquela manhã.

"É incrível quão dramática a mudança pode ser, né?", observou ele.

Liz concordou: "Sim. Para ser honesta, eu mal podia acreditar. Quer dizer, eu me estresso muito fácil, mas, quando comecei a girar os sentimentos, comecei a me sentir mais leve. Entende o que quero dizer?"

Joe balançou a cabeça de forma encorajadora.

"E mesmo tendo feito isso apenas uma vez, tenho confiança de que posso mudar outras coisas também. Sei que tenho isso dentro de mim e, se eu pensar sobre as coisas que costumavam me estressar, agora eu só..." Liz começou a rir, e imediatamente Joe começou a se sentir mais leve também. Ele estava encantado.

Depois de conversar com Liz por mais alguns minutos, ele voltou para seu lugar. A música começou, e Richard apareceu no palco.

Capítulo 5

COMO CRIAR UMA VIDA MARAVILHOSA

Geralmente, o problema de uma pessoa não é o mais importante. O maior problema é que ela passa tanto tempo pensando nele que, caso se livre daquilo, começará a preencher o tempo com outra bobagem. Em vez disso, prefiro que olhem para o futuro e sintam muitos sentimentos maravilhosos.

Ao longo dos anos, tive de fazer todo tipo de coisas para convencer as pessoas a não aceitarem limitações. E sempre tinha que demonstrar as coisas. Perceba, não é brigando que você resolve os problemas. Se você pretende parar de fumar, a pior coisa que pode fazer é tentar resistir à vontade. Você diz a si mesmo: "Não fume cigarros. Não queira cigarros. Não pense em cigarros." Mas assim tudo em que você vai pensar é "cigarro, cigarro, cigarro!".

Quando você fala para alguém *não* pensar em algo, o cérebro dessa pessoa primeiro imaginará aquilo que você disse para não pensar e então negar aquilo. O problema é que nesse momento ela já estará indo na direção contrária.

Em vez disso, o que você faz é perceber as sensações de desejo. Então você as aumenta e as coloca na direção certa. Trabalhei com pessoas que estavam literalmente morrendo por comer muito chocolate – elas tinham falência hepática pelo excesso de chocolate. Então, coloquei o chocolate em uma cadeira e as fiz olhar para perceber que o chocolate tinha mais força de vontade do que elas. "Olhe para ele", falei. "É mais esperto do que você, mais determinado do que você e tem controle sobre seu comportamento. Ele consegue manter sua embalagem. Você não consegue."

"Bem", respondiam elas, "sinto-me estúpida".

"Mas não estúpida o bastante."

"O quê?"

"Pegue agora este sentimento de estupidez e comece a aumentá-lo, pois, quanto mais você absorver o sentimento de estupidez e quanto mais você girá-lo, mais cedo chegará ao ponto em que percebo o quanto isso é ridículo. Então, quando você olhar para isso, começará a rir. Não é lutando com seus desejos que você ficará mais esperto. É pegando esses desejos e apontando-os para onde você realmente precisa que estejam. Pois não é o desejo que é ruim, mas o fato de estar direcionado ao chocolate.

Quando você pega esse mesmo sentimento de desejo, aponta-o para seu futuro e deseja uma saúde melhor, e deseja mais sucesso, e ser melhor para as pessoas ao seu redor, *é aí* que você progride. Porque quando você vibra todo tipo de coisa como felicidade, alegria, entusiasmo, então, como eu disse, as pessoas ao seu redor farão o mesmo sem mesmo entender o que aconteceu."

Conscientizar-se sobre isso foi muito importante para Joe. Ele havia tentado tanto *parar* de ser tímido perto dos outros! Também havia se concentrado em *não* se frustrar com sua namorada. Em vez disso, ele decidiu que se concentraria no quanto queria ser confiante e divertido e no que amava nela. Era simplesmente um desvio para a direção contrária, mas ele estava confiante de que faria uma grande diferença.

Richard continuou:

> Bom, para mim, não basta que você supere seus problemas. Quero que encontre um jeito de substituí-los por novos comportamentos e novos pensamentos que levem você em uma nova direção. Quero ver você construir um futuro incrivelmente maravilhoso e projetar todo tipo de sentimento bom nele.
>
> E, para começar, quero um voluntário. Quem quer se sentir muito bem sem uma razão específica pelo resto da vida?

Inúmeras mãos se levantaram. Richard escolheu Caroline, a atriz que havia trabalhado com Joe mais cedo. Ela subiu ao palco e se sentou. Após perguntar seu nome, Richard disse:

> Caroline, então você gostaria de se sentir ridiculamente bem, certo?

Caroline concordou e sorriu.

> Para isso, você tem de me contar uma coisa. Quando você pensa no futuro, onde ficam as imagens? Quando você pensa no próximo ano, onde você vê as imagens? Elas estão na sua frente? À esquerda ou à direita? Atrás de você?

E quando você pensa no passado, onde ficam as imagens? Pense em um ano atrás, por exemplo. Onde você vê essa imagem?

Depois de um minuto ou mais, Caroline estendeu a mão direita na frente de si e gesticulou atrás de si com a mão esquerda. "O futuro parece estar na frente, e o passado, atrás de mim."

OK. Bom, esse é um jeito específico de ordenar o tempo na sua mente.

Se você traça uma linha imaginária de seu passado até o futuro, ela se chama *linha do tempo.*

Ter o passado na sua frente ao lado esquerdo significa que seria mais fácil para você acessá-lo. Tê-lo atrás de você significa que é mais fácil esquecê-lo. Então, por exemplo, é como querer que as lições que aprendeu fiquem na sua frente e os sentimentos negativos fiquem atrás de você.

Joe nunca tinha pensado sobre como via o futuro e o passado. Ele começou a se concentrar e descobriu que ordenava seu futuro na frente, um pouco à direita, enquanto o passado ficava a seu lado, à esquerda.

Richard continuou:

O jeito como você ordena o tempo determina como você se sente a respeito dele. O que quero que você faça agora, Caroline, é aprender a construir sentimentos intensos de alegria em seu futuro de modo que também se sinta maravilhosa a respeito de seu passado.

Antes de fazermos isso, existe algo em especial que a incomoda e a impede de fazer o que realmente quer fazer?

Caroline balançou a cabeça. "Bem, sou aspirante a atriz e comecei a fazer audições recentemente. Fico tão decepcionada quando não consigo o papel ao qual me propus!"

Ok, a primeira coisa é que a decepção precisa de planejamento. Você tem que se planejar para se sentir decepcionada. Então, como você gostaria de se sentir, em vez se sentir mal? Que dizer, você quer ser capaz de sentir-se determinada, motivada e entusiasmada ao pensar em uma audição, certo?

"Sim. Eu gostaria de me sentir otimista sobre o futuro e, quando pensasse em uma audição, gostaria de sentir a confiança de que tenho chances reais de conseguir o papel e que mereço ter sucesso."

Boa. Não seria fantástico se você conseguisse encontrar um meio de mudar o modo como se sente sobre as experiências negativas do passado e, simultaneamente, desenvolver uma crença em um futuro melhor?

"Absolutamente", respondeu ela entusiasmada. "Seria maravilhoso! Parece que me concentro muito nas rejeições."

Por um lado, creio que as pessoas enfrentam a rejeição de modo muito pessoal. Quer dizer, quando alguém a rejeita, não é porque essa pessoa quis ser má especificamente com você. É apenas uma informação do fato de que ou você ainda não faz alguma coisa ou está fazendo alguma coisa que deveria parar de fazer. E, de qualquer modo, a melhor resposta é ter determinação e flexibilidade.

Então, Caroline, eis o que quero que você faça: quero que simplesmente deixe sua respiração desacelerar e se permita entrar facilmente em um estado de conforto. Quero que solte o corpo e se sinta o mais relaxada possível. Cada respiração lhe permite sentir ainda mais relaxada. Deixe seus olhos fecharem... agora.

Richard começou a falar mais devagar, e sua voz ficou ainda mais ressonante enquanto continuava.

Enquanto você ruma totalmente para o conforto e a suavidade, quero que comece a se imaginar se elevando sobre sua linha do tempo e olhando para seu passado, presente e futuro.

Sei que enquanto você olha para o passado, consegue ver todos aqueles momentos em que foi para uma audição e não conseguiu o papel. E, enquanto observa essas experiências dessa perspectiva, consegue perceber que cada uma delas foi um campo de treinamento para seu sucesso no futuro. Então, o que quero que você faça é perceber quais informações úteis surgem de cada uma dessas experiências. Deixe-as flutuar acima de sua linha do tempo como uma luz radiante. Leve essa luz consigo e deixe o resto para trás, no passado, onde é seu lugar.

Então eu quero que você reúna os melhores sentimentos que puder imaginar. Pense em um momento em que se sentia o máximo, mais feliz do que nunca. Você consegue pensar em um momento em que se sentiu bem de verdade?

Com os olhos fechados, parecendo muito relaxada, Caroline balançou a cabeça lentamente e sorriu.

Tenha certeza de estar vivendo essa experiência agora. Enquanto se concentra nessa sensação maravilhosa, comece a realmente desenvolvê-la e intensificá-la. Imagine que ela está se movendo pelo seu corpo. Agora quero que você se imagine pegando esse sentimento. Dê a ele uma cor que combine com você e espalhe-o por todo o seu passado de modo que cubra todas as memórias negativas, todos os momentos ruins. Recubra tudo com essa sensação maravilhosa.

Quero que você se imagine olhando para baixo e vendo como seu passado está diferente agora, sentindo-se muito bem a respeito de todas essas experiências e percebendo que qualquer coisa que a tenha aborrecido agora está no passado e ficando cada vez mais longe.

Caroline abriu um sorriso enorme.

Pois é, Caroline. O fato é que vale a pena esquecer algumas coisas e se lembrar de outras. Muitas pessoas se acomodam, mas o que quero que você faça, enquanto se sente bem acerca de seu passado, é se imaginar olhando para o futuro, imaginar os melhores sentimentos caindo sobre ele, preenchendo cada uma das experiências futuras com os melhores estados.

Quero que você veja seu futuro sendo melhor do que tudo o que veio antes, mais brilhante e mais atraente daquilo que já passou.

É hora de você flutuar de volta para seu corpo, Caroline, para que possa se sentir repleta de contentamento e expectativa por seu futuro maravilhoso, cheio de coisas maravilhosas – novas pessoas, novas oportunidades, novas possibilidades... um mundo de possibilidades. Imagine-se indo à próxima audição, e à seguinte, com determinação, entusiasmo, paixão e autoconfiança.

Você pode começar a voltar lentamente, se sentindo incrivelmente bem.

Richard parou. Caroline começou a lentamente retomar a consciência, e abriu os olhos com um sorriso extremamente radiante no rosto.

Acho que não precisamos perguntar, mas... como se sente?

Caroline respirou fundo. "Como se tivesse acordado pela primeira vez em meses. Tudo parece um pouco diferente. Eu vou dominar Hollywood!"

Richard se voltou para a plateia:

Bem, se vocês estivessem na audição de uma mulher irradiando essa energia, vocês não implorariam para que ela fizesse parte de seu filme? É claro que implorariam! É isso que quero dizer quando digo que vocês têm que entrar no estado certo, não importa o que estejam prestes a fazer.

Vamos dar uma salva de palmas para Caroline.

Caroline desceu do palco e voltou para seu lugar.

E agora, para aqueles que pensaram que eu estava fazendo isso apenas por Caroline...

Richard olhou para a plateia.

Permitam-se relaxar e fechem os olhos. Agora, se começarem a ver as coisas como se fossem difíceis, elas serão. Se começarem a estudar o que torna as coisas impossíveis, descobrirão. E, se alguém chegar com um problema, poderá se livrar dele. Mas isso não é o mais importante. O mais importante é: quando você se livrar desse problema, o que fará com o tempo livre que terá?

As pessoas realmente precisam aprender a se orientar em direção a um futuro melhor, e isso começa pelo aprendizado de como se sentir realmente bem. Então, a primeira coisa que quero que façam é praticar. Agora respirem fundo e apenas deixem sua consciência fluir confortavelmente a cada vez que inspirarem... entrando pelo nariz e saindo pela boca...

Agora, se estiverem falando consigo em sua mente, não importa o que digam, contanto que falem mais devagar. E mais suavemente. E enquanto suavizam a fala, simplesmente lembrem-se de continuar respirando, pois quero que aprendam a ajustar seu estado. E se sua consciência for para algum lugar que pareça apertado, então vá para outro lugar no corpo onde se sintam totalmente relaxados. Deixem o relaxamento se espalhar. O resto acontecerá naturalmente.

Agora pensem em algo absolutamente maravilhoso em suas vidas. Vejam o que viram naquele momento, ouçam o que ouviram e relembrem algumas sensações maravilhosas. Na verdade, vejamos se conseguimos pegar as cinco melhores experiências de suas vidas e torná-las o alicerce de seu futuro. Muitas pessoas visitam seu passado e escolhem as coisas ruins que aconteceram a elas e então pensam sobre o que acontecerá no futuro. Em vez disso, gostaria que vocês, nesse estado relaxado, simplesmente voltassem e encontrassem cinco coisas maravilhosas – coisas que tenham feito com que se sentissem especiais, momentos em que se surpreenderam maravilhosamente –, e então conectem todas essas coisas. Pensem na primeira, na segunda, na terceira, na quarta, na quinta e voltem ao começo. E lembrem-se de entrar nessas boas experiências. Vejam o que viram quando estiveram lá. Deixem que percorram sua mente.

Perguntem-se: "Como é a sensação de estar em estado de contentamento?" Pois, para responder a essa pergunta, vocês têm que entrar em um estado de contentamento, e quanto mais fizerem isso, melhor serão em dominar o jeito de se sentir bem sem razão aparente, a não ser por estarem vivos e merecerem isso.

E, após passar por essas cinco experiências, olhem para seus futuros e incluam uma sexta. Pense em algo que vocês farão ao sair deste workshop, algo que farão de modo diferente.

Treinem seu sistema nervoso para atravessar o melhor que vocês fazem, e então, pensem sobre algo que farão a respeito disso: esse é o novo você, e a verdade é que você pode aprender coisas novas e as pessoas a seu redor também. Você pode conhecer pessoas e, ao invés de se sentir frustrado, pode continuar sorrindo. E quando entrar nesse estado, repentinamente as pessoas também entrarão, porque bactéria conhece bactéria, e contentamento conhece contentamento. E o que as pessoas precisam é de otimismo e esperança, não importa quem sejam, quer sejam um funcionário, alguém para quem você está tentando vender um carro ou a pessoa que você mais ama.

Você deve fazer isso para que seu otimismo sempre prevaleça. O único momento em que você perde é quando para. Então, parar não é o que você quer fazer. Você quer desenvolver mais determinação.

Agora, o truque é não sair desse estado, mas atravessá-lo, pois quando você sair do outro lado, não se sentirá mais o mesmo. Você não quer voltar a ser quem era, quer continuar a caminho de quem quer ser.

Você começa com seus pensamentos, então pensamentos se tornam ações; ações se tornam hábitos; e hábitos se tornam parte de quem você realmente é. Portanto, é hora de transformar novos pensamentos em um novo comportamento, tentar novas coisas. Você se vê fazendo coisas que gosta, se vê sendo mais amável com as pessoas e sendo mais paciente. E é hora de perceber todo o sofrimento pelo qual você vem passando – e tem feito isso lindamente. Agora que dominou isso, é hora de descobrir a resposta à pergunta: "Quanto prazer você aguenta?"

Então, hoje à noite, enquanto você dorme e sonha, quero que todos esses hábitos ruins, todos esses pesadelos horríveis, todas essas coisas ruins repetitivas que você fez – a autocrítica, a baixa autoestima, a preocupação em conhecer pessoas, a timidez –, quer sejam emocionais ou físicas, parem.

Para muitos isso é espiritual, pois, nas sociedades em que vivemos, excluímos todo o tipo de coisas importantes sobre nosso próprio espírito. Então, se já lhe disseram que você não seria ninguém, se já lhe disseram que é estúpido, se já lhe disseram qualquer coisa do tipo, eu quero que você ouça um mantra em sua mente dizendo "Dane-se!". Porque simplesmente não é verdade.

Vi milhares de pessoas mudarem de milhares de formas, mesmo quando lhes diziam que era impossível. E se você acha que é imune a bons sentimentos, espere até estar dormindo, pois quando todas essas outras coisas voltarem para sua cabeça, quero que seu subconsciente lhe proporcione uma sensação inexplicável de bem-estar. Na verdade, não há melhor momento para começar do que agora, sentados aqui. Sei que seu inconsciente pode ouvir, então não importa quando você fará isso, contanto que seu inconsciente responda totalmente e você comece a permitir que um sorriso apareça em seu rosto e se espalhe pelo corpo. Porque é hora de você voltar lentamente para a consciência total, trazendo um brilho consigo, um senso de contentamento e um sorriso enorme.

Joe voltou lentamente e se sentiu sorrindo por todo o corpo; sentiu-se fantástico.

Richard agradeceu a Alan e aos outros assistentes e continuou dizendo:

Hoje vocês foram expostos a um grande número de ideias. Logo se lembrarão de algumas, e com o tempo, outras aparecerão e os surpreenderão. Ainda assim, existe uma coisa que espero que saibam ao sair daqui: espero que saibam que se fizerem algo que não estiver funcionando, deve haver um jeito mais fácil.

E se o que quer que estiverem fazendo não estiver funcionando, então vocês têm que fazer outra coisa. E a primeira coisa que vocês têm que fazer é mudar seu estado interno. Pois, se vocês se sentem frustrados, as pessoas ao seu redor perceberão isso, e vocês ficarão estagnados.

Relaxe, e as pessoas também relaxarão. Sinta-se bem, e as coisas vão melhorar!

Após ser aplaudido de pé, Richard saiu do palco. Enquanto isso, Joe olhou para Teresa e Emily e sugeriu uma ida ao café próximo dali antes de se despedirem. Elas concordaram e também convidaram Edgar.

Ao se dirigir para a porta, Joe ouviu alguém chamar seu nome. Era Alan.

"E aí?", perguntou ele.

Joe balançou a cabeça. "Sim, foi... Fez diferença na minha vida."

Alan sorriu. "Sabe, Joe, aquilo sobre o que conversamos mais cedo? Espero de verdade que você aplique o que aprendeu aqui em sua vida, especialmente sua vida amorosa. Anos atrás, deixei uma mulher incrível escapar de minhas mãos porque cometi muitos erros. Eu superei aquilo, mas ainda assim, quando vejo alguém como você, que encontrou uma moça maravilhosa, quero garantir que *você* aproveite o máximo que puder."

Joe concordou. Aquilo foi uma surpresa e tanto para ele, mas explicou a intensidade de Alan mais cedo.

"Muito obrigado por tudo."

"Fico feliz em ajudar, Joe. Espero vê-lo novamente. E boa sorte com tudo."

Joe abraçou Alan e se despediu.

Ele logo alcançou os outros, que tinham juntado-se a mais alguns participantes do curso, inclusive Caroline.

Minutos depois, Joe estava em um café se divertindo enquanto conversava sobre o curso. Ele observou o grupo e percebeu que todos tinham a postura muito semelhante e estavam acompanhando uns aos outros, e sorriu sozinho.

Voltando sua atenção a Edgar, Joe lhe perguntou o que ele havia achado do seminário.

"Foi muito bom", respondeu Edgar. "Eu certamente encontrei o que procurava. Quer dizer, o que aprendemos aqui não faz muita diferença a menos que apliquemos, mas eu realmente adquiri algumas habilidades que usarei. Aquele negócio de mudança de estado que fizemos onde aprendemos a branquear memórias ruins e girar e ancorar bons sentimentos foi maravilhoso. Isso contribui com todas as coisas que me incomodavam antes." Edgar retomou sua voz esganiçada de Yoda. "Uma experiência divertida e útil esta foi. Feliz eu estou."

"Sim", sorriu Joe balançando a cabeça. "Engraçado você é! Mas eu entendo o que você quer dizer. Isso apenas nos mostra o que é possível."

"E as perguntas do metamodelo serão especialmente úteis para mim. Já uso muitas delas, mas agora posso fazer isso de forma ainda mais consciente."

Joe relembrou as diversas ferramentas e habilidades que havia adquirido durante o curso. Ele concordou com Edgar. O que ele gostava na PNL era o fato de ser repleta de habilidades práticas, e não apenas um monte de bobagens e pensamentos positivos. Ele ajustaria sua mente no sentido de aplicar tudo imediatamente.

Teresa interrompeu seus pensamentos. "Joe, Emily acabou de desabafar comigo sobre o que tem acontecido com ela. Muito obrigada pelo trabalho que você fez."

"Imagine, Teresa! Ela também me ajudou muito, sabe?"

"Não tenho dúvidas disso. É engraçado que nós duas estejamos deixando valentões nos intimidarem. Bem, não mais. De hoje em diante, eu e minha filha vamos nos defender. Nós fizemos um pacto."

Um sorriso enorme preencheu o rosto de Joe.

"Joe", continuou Teresa, "por favor, envie meus cumprimentos e bons desejos ao amor de sua vida. Ela provavelmente vai bombardeá-lo com perguntas sobre o que você aprendeu".

Joe concordou, e Edgar interrompeu: "Se puder dar um conselho, Joe, quando ela perguntar sobre o curso, simplesmente diga que não se lembra de nada, pois passou o seminário todo pensando nela."

Teresa e Joe riram. "Obrigado pelo conselho, Edgar. Muito charmoso."

Emily entrou na conversa. "Então, Joe, e agora?"

"Bem, agora pretendo ir para minha casa e passar mais tempo me aproximando de minha linda namorada. E pretendo me dar muito melhor com as pessoas no meu trabalho. Eu creio que tenha a..."

Joe foi interrompido por Emily fingindo dormir e roncar.

"Ha! Ha! Ha! Muito engraçada!", exclamou Joe.

Teresa e Edgar riram.

"Sabe, outra coisa que aprendi nesse seminário", disse Joe, "foi a importância do humor. Quer dizer, foi uma mensagem subliminar consistente sobre como se tornar livre e feliz. Vale a pena rir dos problemas. Vale a pena rir da vida. As risadas tornam mais fácil mudar as coisas. Quando conseguirmos rir de nós mesmos, de nossos problemas e de nosso mundo, então seremos realmente livres".

Todos concordaram, e Joe teve a sensação de ter feito mais alguns amigos com os quais manteria contato.

Depois de passar algum tempo conversando, Joe ouviu seu telefone tocar. Ele olhou o identificador de chamadas, sorriu e pediu licença. Enquanto ia para fora, uma forte sensação de euforia se espalhou por seu corpo. Ao perceber isso, ele imediatamente o ancorou. Então atendeu ao telefone. Era hora de começar a usar o que havia aprendido.

Capítulo 6

DEPOIS DO WORKSHOP

Um mês depois, certo dia, Joe chegou do trabalho se sentindo feliz e empolgado. Ele tinha melhorado muito seu relacionamento com alguns de seus colegas e se viu os compreendendo muito mais. Na noite anterior, quando todos haviam saído para beber após uma apresentação no escritório, ele teve a inesperada e bem-vinda sensação de que alguns deles até se espelhavam nele.

Após fazer para si uma xícara de chá e se sentar no sofá, ele pegou seu diário na mesa de centro e começou a ler tudo, orgulhoso de ter implementado muitas das habilidades e conceitos que aprendera apenas algumas semanas antes. De uma perspectiva profissional, ele havia feito um grande esforço e, como resultado, estava recebendo as recompensas, incluindo popularidade. Obviamente ele ainda tinha que ser cuidadoso e estava ciente de que enfrentaria dificuldades, mas estava contente por estar melhorando sua compreensão a respeito das necessidades e desejos dos outros, sejam seus colegas, seus superiores ou seus clientes.

Conforme Joe folheava as páginas do diário, seus pensamentos foram até sua namorada. Aquele era o grande dia, o dia em que ela deveria se mudar para a casa dele. Joe havia aplicado também muitas das habilidades de rapport que havia aprendido na comunicação com sua namorada e percebeu que eles estavam melhorando muito com isso. Ainda assim, ele sabia que ambos estavam apreensivos porque ela estava se mudando para viver com ele e que o real desafio ainda estava por vir.

Naquele momento, a porta foi aberta, e sua namorada entrou.

A empolgação imediata de Joe ao vê-la foi dissipada quando ele viu seu rosto. Seus olhos estavam vermelhos, ela estava chorando. Joe se levantou, sem saber o que fazer, enquanto ela foi até uma cadeira e se sentou. Ele imediatamente começou a pensar no pior. Petrificado, observou-a, procurando um sinal de que ela havia decidido não morar com ele ou, pior, não ficar mais com ele. Não sabia o que pensar enquanto ela se encurvava, punha as mãos na cabeça e soluçava. Cada célula do corpo de Joe queria perguntar a ela se aquilo tinha a ver com ele, se ela não o amava mais, se queria deixá-lo.

Mas então ele se lembrou do que havia aprendido. Pela primeira vez em uma situação assim, ele se perguntou: *Como você sabe que tem a ver com você, Joe? Tudo na vida dela tem a ver com você? Claro que não! Do que ela precisa agora?*

Marchando em direção a ela e colocando os braços ao seu redor, ele sussurrou em seu ouvido: “Sinto muito que esteja chateada, princesa, mas, seja o que for, nós vamos superar.”

Repentinamente, ela o abraçou segurando-o firmemente e colocou a cabeça em seu ombro. Em meio às lágrimas, ela começou a falar.

"Sinto muito, Joe. Está sendo um dia terrível com o livro. Perdi minha criatividade."

"Como assim?", perguntou Joe suavemente.

"Bem, eu mostrei à minha agente uma proposta de um novo livro, e ela odiou. Pareceu entediada com aquilo. Entediada comigo."

É isso? Pensou Joe sozinho. *Isso não é motivo para ficar tão nervosa.*

Felizmente, pela segunda vez naquela noite, ele teve a noção de pensar duas vezes antes de abrir a boca.

Isso não tem a ver com o que você pensa. Tem a ver com o mapa dela do mundo. Para ela, é um problemão.

"Ouça", disse ele, "eu sei que parece ruim agora, mas tenho certeza de que sua agente decidiu ser sua agente porque viu o quão talentosa e importante você é".

Sua namorada o olhou, secando as lágrimas. "Você acha mesmo?"

Joe concordou com um sorriso. "Tenho certeza. Você é incrível no que faz. Seu primeiro livro foi muito bem, você conseguiu um ótimo contrato de publicação e é tão criativa, que logo vai ter uma ideia brilhante para outro livro. Só precisa saber o que fazer para pensar em outras ideias que possam funcionar."

Ela concordou com um movimento lento de cabeça e parou de chorar.

Joe continuou: "Além disso, lembre-se de que hoje é o dia mais importante de nossas vidas: hoje você vai vir morar com o homem mais lindo do mundo."

Ela riu. “Mas eu achei que estava vindo morar com você!”

Joe a agarrou e começou a fazer cócegas nela, e eles começaram a gargalhar.

Capítulo 7

O DIÁRIO DE JOE

Anotações do Workshop

- "Você nunca para de aprender." Se você acha que sabe tudo o que há para saber, obviamente está esquecendo-se de algo!

- O mapa não é o território: sua compreensão do mundo se baseia em como você o representa (seu mapa), não no mundo em si.

- Seja o que for que você achar que está acontecendo, lembre-se de que é só um mapa.

- Os problemas começam quando seu mapa não acompanha o mapa das pessoas a seu redor.

- Para ter melhores opções, sentimentos e interações com os outros, você precisa expandir seu mapa. Precisa ser capaz de olhar as mesmas coisas a partir de diferentes perspectivas. Quanto mais detalhado for seu mapa, mais liberdade e flexibilidade você terá.

- Faça uma verificação da realidade de vez em quando. Certifique-se de que seu mapa esteja atualizado. Quando as pessoas param de ver o que existe lá fora e se baseiam em um mapa antigo, elas cometem erros. Ou imaginam limites e restrições onde não existem ou continuam a agir como se algo devesse funcionar, e, quando não funciona, elas fazem mais do mesmo.

- Seu futuro ainda não foi escrito. A vida é cheia de oportunidades, e as oportunidades estão adiante, no futuro. Não deixe que ninguém, nem mesmo seu próprio mapa, convença-o do contrário.

- Não tem a ver com quem está certo e quem está errado. Também não tem a ver com o que é verdade. Um bom mapa é aquele que lhe permite ver as coisas a partir de diferentes perspectivas e o ajuda a saber se virar o máximo possível em sua situação.

- O que as pessoas dizem que fazem ou acreditam fazer costuma ser muito diferente do que realmente fazem.

- Temos as ferramentas e habilidades mentais para nos livrar das porcarias que não queremos e substituí-las pelo que queremos.

- Você pode ser quem escolher ser.

- A mudança é a única constante da vida. Você escolherá o rumo que sua vida tomará e o tipo de pessoa em que você se tornará, ou vai só sentar e esperar que a vida aconteça?

- As pessoas precisam de alguém que "fale sua língua", "veja as coisas a seu modo" ou "entenda seu mundo interior".

- Se você quiser que alguém chegue a determinado estado mental, chegue lá primeiro. Se quiser que alguém se sinta bem, entre em um estado maravilhoso primeiro.

- Não é sua história pessoal que o faz ser quem você é; é o modo como você reage a ela.

- Você pode tornar mágica cada uma das coisas que faz, especialmente quando está com outras pessoas: simplesmente lembre-se de entrar no estado certo.

- As vozes dentro de sua cabeça têm controle de volume. Você pode deixá-las mais altas, mais baixas e fazer com que digam o que você quiser – e no tom que quiser.

- Entre no estado certo primeiro. Você não pode estar deprimido e esperar ajudar as pessoas a serem alegres.

- Se você andar por aí emburrado, encontrará pessoas emburradas, ou então as pessoas ficarão emburradas perto de você. Você colhe o que planta.

- Se você leva os problemas muito a sério, apenas os torna mais reais.

- Os estados são contagiosos.

- Se você entra no estado certo, consegue fazer quase qualquer coisa. Mas se não muda seu próprio estado interno, então como pode esperar que alguma coisa mude?

- A timidez não é um traço de personalidade fixo. Ela é apenas um estado de espírito.

- A construção de bons sentimentos deveria fazer parte do modo como você faz as coisas diariamente.

- Quando você pensar sobre algo desagradável que aconteceu em sua vida, faça com que se pareça com uma foto Polaroid antiga em preto e branco. Então, empurre-a para longe, e logo aquilo já não importará tanto.

- As pessoas escolhem a melhor opção que podem no momento.
- Se você quiser que alguém faça escolhas melhores, ajude-o a expandir seu mapa do mundo.
- Compreenda e respeite os mapas dos outros.
- Você tem que assumir a responsabilidades por sua comunicação, e, caso não esteja conseguindo o resultado que queria, você precisa mudar o que estiver fazendo.
- Você afeta os outros sem nem falar com eles. Seu estado afeta o estado deles (bactéria conhece bactéria).
- Construir rapport é um processo natural.
- Quando duas pessoas se dão muito bem, elas tendem a acompanhar os padrões de comunicação uma da outra em todos os níveis, verbal e não verbal.
- Acompanhar significa sutil e gradualmente adaptar partes de sua comunicação à da outra pessoa.
- Quando as pessoas se comunicam com você, elas revelam como estão representando o mundo pelas palavras que usam.

- Alguns de nós preferem pensar em termos de imagens visuais; outros têm ouvido aguçado para sons e palavras; e alguns se apegam principalmente a sensações corpóreas para entender o mundo. Isso não significa que somos esse "tipo" de pessoa, mas nos permite saber como uma pessoa está pensando naquele contexto específico.

- Quando você acompanha o sistema representacional que alguém está usando, isso faz com que a pessoa se sinta em rapport com você. Quando você não a acompanha, a pessoa não se sente tão bem, pois não está ouvindo aquilo que ressoa para ela.

- Quando mapeamos a realidade, excluímos, generalizamos e distorcemos as informações que recebemos de nossos sentidos. Então, quando descrevemos tal mapa com palavras, seja para os outros ou para nós mesmos, fazemos isso de novo: excluímos, generalizamos e distorcemos o mapa.

- Quanto mais você se aprofunda e identifica o problema específico, mais fácil é ajudar alguém a encontrar a solução.

- Quanto mais você questiona uma crença usando o metamodelo, mais provável é semear a dúvida sobre a crença. Isso cria espaço para a pessoa trocar sua crença por outra mais útil e criativa.

- Quando você se encontra em uma situação difícil, o problema geralmente não deriva da situação em si, mas do modo como você pensa a respeito dela.

- Geralmente, o problema de uma pessoa não é o mais importante. O maior problema é que ela passa tanto tempo pensando nele que, caso se livre daquilo, começará a preencher o tempo com outra bobagem.

- A fim de dizer não para algo, seu cérebro deve primeiro formar uma imagem daquilo que você não quer e, então, negar aquilo. O problema é que nesse ponto você já está indo na direção contrária.

- A decepção exige um planejamento adequado.

- Se você começa a ver as coisas como se fossem difíceis, elas serão. Se você começar a estudar o que torna as coisas impossíveis, você descobrirá.

- As pessoas realmente precisam aprender a se orientar no sentido de um futuro melhor, e isso começa no aprendizado de como se sentir bem de verdade.

- A única vez que você realmente perde é quando para.

- Se você estiver fazendo algo que não está funcionando, deve haver um jeito mais fácil. E se o que você estiver fazendo não está funcionando, você tem que fazer outra coisa. E a primeira coisa que tem que fazer é mudar seu próprio estado interno.

- Você começa com seus pensamentos, e então seus pensamentos se tornam ações, suas ações se tornam hábitos, e os hábitos se tornam parte de quem você realmente é.

Capítulo 8

TÉCNICAS USADAS NESTE LIVRO

Livre-se de Memórias Ruins

1. Pense em algo que tenha acontecido com você recentemente e ainda o incomoda, algo em que você não quer mais pensar. Concentre-se na representação visual da memória — a imagem ou o filme que você vê com os olhos de sua mente.
2. Pegue essa imagem, a diminua, mova para bem longe e retire sua cor e brilho.
3. Se ouvir vozes e sons na cena, faça-os sumir.
4. Deixe a imagem tão pequena a ponto de precisar forçar os olhos para enxergar, e então deixe-a ainda menor.
5. Quando estiver do tamanho de uma migalha, você pode simplesmente varrer para longe.

Dispare um Sentimento Positivo com a Habilidade de Ancoragem

1. Imagine uma tela de cinema bem na sua frente, de modo que você possa ver seus pensamentos, e uma alavanca conectada ao que você vê na tela.
2. Volte em sua mente a uma experiência muito boa. Sinta o que sentiu na ocasião.
3. Imagine a cena ficando maior, mais perto e mais vívida conforme os sentimentos crescem. Enquanto isso acontece, imagine uma alavanca em que está escrito "Diversão" e levante-a lentamente. Para tornar isso ainda mais real, faça o gesto.
4. Enquanto a desliza para cima no ritmo que se adapta às mudanças em sua fisiologia e sentimentos, permita que essa memória empolgante fique cada vez mais perto e cada vez maior.
5. Adicione cores a ela. Faça-a brilhar. Observe os detalhes.
6. Ouça uma voz em sua cabeça dizendo "Hora de se divertir".
7. Desfrute dessa sensação maravilhosa por alguns momentos. Então, abaixe a alavanca até a posição inicial e deixe seu corpo retornar a um estado mais neutro.
8. Para verificar se a ancoragem foi bem-sucedida, pare por um instante e pegue a alavanca novamente, levantando-a enquanto diz a si mesmo "Hora de se divertir". Você deve voltar a se sentir tão empolgado quanto antes.

Amplifique os Sentimentos Positivos

1. Feche seus olhos e pense sobre uma das melhores sensações que já teve.
2. Veja o que viu e ouça o que ouviu quando sentiu essa sensação boa.
3. Enquanto faz isso, perceba de onde vem essa sensação maravilhosa. Em que parte de seu corpo ela começa? Para onde ela se move?
4. Quando você para de pensar na sensação, para onde ela vai?
5. Retorne à sensação boa e deixe-a subir. Logo antes de ela sumir, imagine-se retirando aquilo de seu corpo e colocando de volta onde começa, para que se mova em um círculo, e comece a girá-la, cada vez mais rápido.
6. Perceba que, enquanto a gira mais rápido, a sensação fica mais forte. Quanto prazer seu corpo é capaz de produzir?

Elimine os Sentimentos Negativos

Para este exercício, você precisará explorar o sentimento incrível que aprendeu a amplificar no exercício anterior.

1. Pense em uma parte de sua vida em que se sentiu preso e bloqueado, algo que lhe traga sensações ruins e limite seu comportamento.
2. Imagine-se assistindo a isso em uma tela e segurando o botão de brilho. Então, em um movimento rápido, gire para o máximo, deixando tão brilhante de modo a branquear tudo. Em um momento você vê, e no outro está tudo branqueado.
3. Faça novamente. Imagine aquilo que o fez sentir-se mal nessa situação e branqueie, bem rápido.
4. Repita os passos anteriores duas ou três vezes, até que aconteça naturalmente.
5. Pegue o sentimento incrível em que você trabalhou antes e, enquanto imagina a situação difícil no futuro, branqueie a imagem negativa novamente e gire esse sentimento maravilhoso.
6. Ouça uma voz interior dizendo, de forma confiante: "Nunca mais!"
7. Concentre-se no sentimento bom girando mais rápido pelo seu corpo — e perceba o que acontece enquanto seu corpo se enche com uma sensação incrível de bem-estar.
8. Chacoalhe o corpo a fim de quebrar o estado e voltar para um estado neutro.

9. Para verificar se essa nova estratégia funciona automaticamente, pense na situação negativa e veja como se sente a respeito dela. Você consegue se imaginar sentindo mal?

Repita esse exercício até que a nova estratégia funcione automaticamente.

O Poder do Acompanhamento: Comunicação Não Verbal

Para este exercício, você precisará de um parceiro.

Diferenciação

1. A pessoa A falará sobre si.
2. A pessoa B ouvirá, mas diferenciará sua linguagem corporal daquela da pessoa A.
3. A pessoa B responderá a algo que a pessoa A disser, mas em um ritmo de fala diferente e usando um sistema representacional diferente.
4. Enquanto isso, a pessoa A pensará sobre sua experiência e em como aquilo a faz se sentir sobre a pessoa B.

Acompanhamento

1. A pessoa A falará sobre si.
2. A pessoa B acompanhará sutilmente sua linguagem corporal, seu tom de voz, sua velocidade de fala e seu sistema representacional.
3. A pessoa A pensará sobre sua experiência e se atentará a como aquilo a faz se sentir sobre a pessoa B agora.

Troque os papéis e garanta que ambos tenham a chance de diferenciar e acompanhar.

Perguntas de Metamodelo

Use-as para:

1. Especificar informações.
2. Esclarecer informações.
3. Expor o modelo de mundo de uma pessoa.

As Perguntas

- Como? O quê? Quando? Onde? Quem especificamente?
- Quem disse? Segundo quem?
- Todos? Sempre? Nunca? Ninguém? Nada? Tudo? Nenhuma pessoa?
- O que você quer dizer com isso?
- Comparado a quem? Comparado a quê?
- Como você sabe?
- O que o impede? O que aconteceria se você conseguisse?
- O que aconteceria se você fizesse? O que aconteceria se você não fizesse?

Construindo um Futuro Melhor

1. Permita que sua respiração desacelere e se deixe entrar facilmente em um estado de conforto.
2. Imagine o tempo se estendendo na sua frente e atrás de você em uma linha do tempo. Imagine-se flutuando acima de sua linha do tempo e observando seu passado, presente e futuro.
3. Enquanto você olha seu passado, consegue ver todas as vezes que teve uma experiência ruim. E, enquanto observa essas experiências, percebe que cada uma delas foi um treinamento para seu sucesso no futuro.
4. Perceba as informações úteis que emergem de cada uma dessas experiências. Deixe-as flutuar acima de sua linha do tempo como um brilho radiante. Leve essa luz consigo e deixe o resto para trás, no passado, o lugar ao qual pertencem.
5. Depois pense em um momento em que se sentiu o máximo. Aprofunde-se nessa situação e deixe essa sensação fantástica crescer. Imagine-a se movendo por todo seu corpo.
6. Pegue esse sentimento, escolha uma cor para ele e se imagine espalhando-o por todo o seu passado, de modo a cobrir todas as memórias negativas, todas experiências ruins, encharcando-as com esse sentimento maravilhoso.
7. Imagine-se olhando para baixo e vendo como agora o passado parece diferente. Perceba que se sente bem em relação a todas aquelas experiências. Seja o que for que o tenha incomodado, está agora para trás e ficando cada vez mais distante.

8. Enquanto você se sente bem em relação a seu passado, imagine-se olhando para seu futuro, e imagine os melhores tipos de sentimentos chovendo sobre ele, preenchendo cada experiência futura com os melhores estados. Veja seu futuro ficando melhor do que nunca.
9. Flutue lentamente de volta para seu corpo, sentindo-se repleto de entusiasmo e na expectativa de um futuro incrível, cheio das coisas mais maravilhosas — novas pessoas, novas oportunidades, novas possibilidades... um mundo de possibilidades.

Uma Lista de Submodalidades

Temos aqui uma lista de muitas das submodalidades (qualidades) de imagens, sons e sentimentos de seus pensamentos.

Visuais (Imagens, Filmes)

- Associada (vendo com os próprios olhos) ou desassociada (vendo a si mesmo na imagem).
- Localização: à esquerda, à direita, acima, abaixo.
- Ângulo.
- Número de imagens.
- Tamanho.
- Distância.
- Brilho.
- Colorida ou monocromática (em preto e branco).
- Enquadrada (natureza do enquadramento?) ou panorâmica.
- 2D ou 3D.
- Nítida ou embaçada.
- Formato: convexa, côncava, de formato específico.
- Movimento: estática, foto, slides, vídeo, filme, repetição.
- Estilo: retrato, pintura, pôster, desenho, vida real.

Auditiva (Sons, Vozes)

- Mono/estéreo.
- Tonalidade.

- Qualidades: volume, passo, ritmo, tempo, inflexões, pausas, timbre.
- Variações: looping, entrando e saindo, mudando a localização, mudando a direção.
- Interna ou externa.
- Voz: voz de quem? Uma ou muitas.
- Outros sons de fundo?

Cinestésica (Sensações)

- Vibração.
- Pressão.
- Contínua ou intermitente.
- Intensidade.
- Peso.
- Interna ou externa.
- Localização.
- Formato.
- Tamanho.
- Temperatura.
- Movimento.
- Textura.

RECURSOS

Leituras Recomendadas

Bandler, Richard. *Using Your Brain for a Change*. Real People Press, Durango, CO, 1985.

___. *Magic in Action*. Meta Publications, Capitola, CA, 1985.

___. *The Adventures of Anybody*. Meta Publications, Capitola, CA, 1993.

___. *Time for a Change*. Meta Publications, Capitola, CA, 1993.

___. *Get the Life You Want*. HarperElement, Londres, 2008.

___. *Make Your Life Great*. HarperElement, Londres, 2010.

Bandler, Richard; Delozier, Judith; Grinder, John. *Patterns of the Hypnotic Techniques of Milton H. Erickson Volume 2*. Meta Publications, Capitola, CA, 1977.

Bandler, Richard; Grinder, John. *Frogs into Princes*. Real People Press, Capitola, CA, 1979.

___. *Patterns of the Hypnotic Techniques of Milton H. Erickson, Volume 1*. Meta Publications, Capitola, CA, 1975.

___. *The Structure of Magic*. Meta Publications, Capitola, CA, 1975.

___. *The Structure of Magic, Volume 2*. Meta Publications, Capitola, CA, 1975.

___. *Trance-formations*. Real People Press, Durango, CO, 1980.

Bandler, Richard; and Fitzpatrick, Owen. *Conversations with Richard Bandler*. Health Communications, Inc., Deerfield Beach, FL, 2009.

Bandler, Richard; La Valle, John, *Persuasion Engineering*. Meta Publications, Capitola, CA, 1996.

Bandler, Richard; McDonald, Will. *An Insider's Guide to Submodalities*. Meta Publications, Capitola, CA, 1989.

Bandler, Richard; Roberti, Alessio; Fitzpatrick, Owen. *Choose Freedom: Why Some People Live Happily and Others Don't*.

Fitzpatrick, Owen, *Not Enough Hours: The Secret to Making Every Second Count*. Poolbeg Press, Ltd, Dublin, 2009.

Wilson, Robert Anton. *Prometheus Rising*. New Falcon Press, 1983.

___. *Quantum Psychology*. New Falcon Press, 1990.

DVDs e CDs

Bandler, Richard. *DHE*, CD, 2000.

___. *The Art and Science of Nested Loops*. DVD, 2003.

___. *Persuasion Engineering*. DVD, 2006.

___. *Personal Enhancement Series*. CD, 2010.
La Valle, John. *NLP Practitioner Set*. CD, 2009.

Esses e muitos outros DVDs e CDs, tanto de hipnose como de seminários de Richard, estão disponíveis em www.nlpstore.com.

Bandler, Richard. *Adventures in Neuro Hypnotic Repatterning*. DVD set and PAL-version videos, 2002.
___. *Thirty Years of NLP: How to Live a Happy Life*. DVD set, 2003.

Esses e outros produtos de Richard Bandler estão disponíveis na Matrix Essential Training Alliance, www.meta-nlp.co.uk; e-mail: enquiries@meta-nlp.co.uk; telefone +44 (0)1749 871126; fax +44 (0)1749 870714

Fitzpatrick, Owen. *Love in Your Life*. Hypnosis CD, 2004.
___. *Adventures in Charisma*. DVD set, 2008.
___. *Performance Boost*, Hypnosis CD, 2011.
___. *Confidence Boost*, Hypnosis CD, 2011.

Disponível em www.nlp.ie.

Sites

www.bandlervision.com
www.coach.tv
www.nlp.ie

www.nlp.mobi
www.nlpcoach.com
www.NLPInstitutes.com
www.owenfitzpatrick.com
www.purenlp.com
www.richardbandler.com
www.theultimateintroductiontonlp.com

Nota da editora: A Alta Books não se responsabiliza pelo conteúdo que os autores disponibilizaram neste encerramento. Os sites, links, vídeos e áudios indicados pelos autores estão todos em inglês.

A SOCIEDADE DE PROGRAMAÇÃO NEUROLINGUÍSTICA

Contrato de Licença de Richard Bandler

A Sociedade de Programação Neurolinguística foi criada com o propósito de exercer o controle de qualidade sobre os programas de treinamento, serviços e materiais que dizem representar o modelo da Programação Neurolinguística (PNL). O selo indica a Certificação da Sociedade e geralmente é anunciado por treinadores aprovados pela Sociedade. Quando você comprar produtos e seminários de PNL, peça para ver esse selo. Ele é sua garantia de qualidade.

É comum que muitas pessoas que conhecem a PNL e começam a aprender a tecnologia sejam cautelosas e preocupadas com os possíveis usos e abusos.

Como proteção para você e para aqueles a seu redor, a Sociedade de PNL agora exige que os participantes assinem um contrato de licença que garante que aqueles que são certificados nessa tecnologia a utilizarão com a maior integridade.

É também um modo de garantir que todos os treinamentos dos quais você participe sejam da maior qualidade e que seus treinadores estejam atualizados e em dia com a constante evolução do campo da Programação Neurolinguística, Engenharia de Design Humano etc.

Para verificar uma lista de recomendações, visite:

- http://www.NLPInstitutes.com
- http://www.NLPTrainers.com
- http://www.NLPLinks.com

[Sites com conteúdo em inglês.]

A Sociedade daPNL
NLP® Seminars Group International PO Box 424
Hopatcong, NJ 07843 USA
Tel: (973) 770-3600
Website: www.purenlp.com